漆の実のみのる国（上）

藤沢周平

文藝春秋

漆の実のみのる国（上）

一

竹俣美作当綱《たけのまたみまさくまさつな》は髭の濃いたちである。朝に剃っても、夕刻には頬からあごにかけたあたりがかなり黒くなる。

髭もいっそのび切ればやわらかくなって、剃る手間もはぶけるのだが、国元勤めとは違い、米沢藩江戸家老として誰に会うかわからないいまは、そういうわけにもいかなかった。めんどうなことだと思いながら、当綱は藩邸内の住居から表御殿の御用部屋に出仕するときは律儀に髭を剃ってくる。

当綱は手紙を読み終った。だが、すぐには巻きもどさずに、最後のところをもう一度つかみ上げて目を走らせた。手紙は国元の侍頭千坂対馬高敦からきたもので、現在郡代所頭取と御小姓頭を兼ね、藩政を一手に切り回している米沢藩最大の権力者森平右衛門利真《としざね》の近況を知らせているのだが、手紙の最後は森をのぞく件は当綱自身がきて事にあたらねば埒《らち》あくまいという文言でむすばれていた。

「ふむ」

当綱は、低く喉を鳴らすと、あいた片手であごをなでた。のびはじめた髭がざらざらして、痛いほどてのひらを刺戟する。目尻の切れ上がった目で千坂の手紙をにらみ、あごをなでながら当綱の明敏な頭脳は音を立てて回転している。

——森をのぞくことに反対はしない。しかし責任はおまえがとれということだな。

と当綱は思った。当綱は声を立てずに笑った。するといかつい江戸家老の顔に、思いがけない愛嬌のある表情がうかんだ。もちろん、このおれが始末をつけるとも、と当綱は思った。

このとき廊下を踏んで人がくる足音がしたので、当綱はいそいで手紙を巻きもどした。外桜田御堀通りにある米沢藩上杉家江戸上屋敷の建物は、ひさしい以前から傷みがきていて、事実は建替えを必要とするほどに古びているのだが、藩の財政状態は窮乏のどん底にあって天下に藩の体面が保てるかどうかというところまで追いつめられていた。とても屋敷の建替えどころではなかった。

藩主とその家族が居住する奥御殿のあたりには、どうにか修繕の手を入れているものの、江戸家老をはじめとする多数藩士が執務する表御殿は、屋根がこわれても修繕の費用を捻出出来ず、雨の降る日はあちこちで雨漏りがする。畳は破れ、廊下を歩けば根太がゆるんだのかそっくり返った踏み板がぎいぎいと音を立てる始末で、忍んで部屋を訪れるなどということは思いもよらない。

足音が御用部屋の外でとまり、侍医の藁科松伯《わらしなしょうはく》の声が、ご家老はおられますかと言った。その声を聞くと、当綱はすぐに立ち上がった。

「おりますぞ。どうぞお入りください」

言いながら当綱は、いそいで自分で襖をあけ、松伯を部屋に迎えいれた。藁科松伯は二十六歳。八歳の齢下だが当綱の学問の師である。もっとも当綱が自分の手で襖をあけたのは、かならずしも儀礼のためばかりでなく、かたむいた襖をあけるには若干の力とコツを必要とするので、非力な師のために手を貸した気味もあった。

「御書院の帰りです」

と松伯は言った。

藁科松伯は医師であるが儒者としても傑出している人物で、三年前に藩主大炊頭重定の侍医に挙げられたのにつづいて、一昨年からは藩世子直丸君の素読師範を勤めていた。松伯は若年ながら国元では家塾をひらき、その書斎菁莪《せいが》館にあつまる青少年の中から、当綱や莅戸九郎兵衛善政《のぞきくろべえよしまさ》、木村丈八《じょうはち》高広らの俊秀を教え育てた人物なので、世子の素読師範にはこれ以上の人はないと思われている。松伯はその素読教授の帰りに、当綱の御用部屋に立ち寄ったのだった。

当綱は一礼して師をねぎらった。

「それはごくろうさまでござりました。で、直丸さまのご学問は、近ごろいかがですかな」

「それがです、ご家老」

と松伯は言った。

「元来が明敏の御素質をそなえておられる上に、ご実家のお仕込みがよほどよろしかったとみえて、いやはやご学問のはかどること。いずれはそれがしのようないなか儒者ではなく、天下に知られる碩学を招いてあのお方の師となさるべきでしょう」

それにはまた費用がかかるだろうな、とちらと思いながら当綱は言った。

「それはたのもしいことでござる。ご実家の三好どののお仕込みがよろしかったのでしょうな」

世子の直丸は、一昨年の宝暦十年に正式に米沢藩主上杉重定の養子に決まり、麻布一本松の高鍋藩邸から外桜田の米沢上屋敷に移ってきた少年で、当年十二歳だった。その養子入りに際して、直丸を幼少時から訓育してきた高鍋藩の老臣三好善太夫重道が、二度にわたって養家の人となる心構えを記した訓戒書をあたえたらしいという風聞を、当綱も耳にしていてそう言ったのだが、松伯は意外にあっさりとそうかも知れませんと言っただけだった。

藁科松伯は青青と頭を剃り、痩せていて、坐っているときの姿勢が見事な人物だった。背と首がぴしっとのびているのに固さはなく、姿全体はやわらかくて気品があふれて見える。当綱はそういう松伯を見るたびに、清瘦という言葉を思い出すのだが、時にはそのあまりに清らかな痩せように、なんともいえない懸念を持つことがあった。

懸念はまず、師はご病気なのではあるまいかということだが、それだけではない漠然とした不安もふくんでいた。

たとえばその超俗に過ぎる風姿ゆえに、師がある日忽然とこの世から消え失せることはあるまいかといったたぐいの、現実にはあり得ない、しかしないと否定もし切れないような不安感に当綱は取り憑かれることがある。松伯の痩身と青白い顔貌には、そういう理由の判然としない不安を掻き立てるものがあった。

そういう不安の出どころについては、当綱にも心あたりがある。藁科松伯は明察の人だった。家塾の菁莪館で、経書を講義するかたわら、松伯は当綱らに、経済的な苦難にのた打ち回っている米沢藩の病理がどこにあるかを、掌を指すように示してみせたことがある。

松伯の指摘は、藩窮乏の原因をとかく過ぎ去ったむかしの非運、関ヶ原役後の慶長六年に食邑《しょくゆう》四分の一の三十万石に、さらにそのおよそ六十年後の寛文四年に藩主の急死によって半分の十五万石に減らされたあたりにもとめがちな当綱らの心根に一撃を加えるものだった。

米沢藩の禄高は、会津百二十万石と言われた時代のほとんど八分の一に減ってしまった。窮乏の背後に横たわっているこの事実は、一藩を無気力にするに足りるほどのものである。しかし松伯は、過去の急激な減封が、いまもいたるところに歪みを残しているのを認めながら、しかし十五万石には十五万石のやりようがあることを言い、そのためにあるべき藩経営の姿を阻んでいる障害物をいちいち取り上げて解き明かしてみせたのだった。

その明快な洞察と指摘は、当綱や莅戸善政ら、菁莪館にあつまる若手藩士たちの目から鱗を落としたばかりでなく、その心中に藩改革に対するかすかなのぞみを呼び起こすものだったのである。

もしも中途にしてこの師を喪うようなことがあれば、ほんの少し芽ばえたばかりの藩改革の行方はたちまち舵を失った舟のごとくになろう、と当綱はつねづね思うのだった。過剰な不安はそのあたりから生まれてくるものに違いない。だからその不安に突きあたると、当綱はいつも大いそぎで打ち消しながら、こう思うのである。

――先生は医家だ。ご自分の身体のことは誰よりもご自分がおわかりだろう。

二

いまも、当綱が一瞬通りすぎたその考えを追っていると、松伯の声がした。

「直丸さまは、ただ賢いばかりではございませんぞ、ご家老」

その強い声にはっと目をもどすと、松伯が怪しむように当綱を見ていた。つかの間の放心を気づかれたらしい。

「いや、さもありましょう、さもありましょう」

いそいで言った。当綱は勘がわるい男ではない。松伯は、世子についてまだ何ごとか話したいことがあるのだと思った。慎重な口調で聞いた。

「今日は、ほかにも何ごとかござりましたかな」

「ご世子さまがお泣きになられました」

「ほう」

当綱は大きな目を松伯に据えた。松伯の弟子ではなく、江戸家老の顔になっていた。十二歳にもなって、人前で泣くとは柔弱なことである、と思ったのだ。世子にはそのような一面があるのか。

「それは、どういうことですかな」

「ご勉学を終えられたあとで、いつものように米沢のお話をいたしました」

と松伯は言った。

松伯は直丸に、経書そのほかの当日の素読を指導し終ったあとで、直丸がやがて藩主として赴く土地である米沢藩の歴史、地勢、気候、さらには産物、人情といったことを、少しずつ進講していた。江戸生まれの、ことに三万石という小藩の出である世子に、十五万石の領国の姿を大まかに知らしめるのが目的だが、もちろんこのことは松伯が独断でしていることではなく、当綱と相談し、藩主重定の諒解も得た上でやっていることである。

さいわいに直丸は、松伯がする国元の話に興味を示した。大方は黙って聞いているだけだが、進講の合間に少年とも思えない鋭い質問を放って、松伯をおどろかせることがある。決してなおざりに聞きながしているのではないことがそれでわかって、松伯は素読の教授だけでなく、こっちの話にも力をいれていた。

「本日は、わが藩の人別銭についてお話しいたしました」

「いかに窮したとはいえ、あれは稀代の悪税でござる」

「世子さまがお泣きになったのは、その人別銭の話が佳境にさしかかったころでござりました」

と松伯は言った。

その少し前から松伯は、直丸が伏し目がちになり、頭を垂れるようにしているのに気づいたが、いくらか不審な気はしたもののかまわずに話をすすめた。ただお行儀のわるいことをなさると思い、進講が終ったあとでひとこと訓戒すべきだろうとは思っていた。

ところが直丸は、その姿勢で泣いていたのである。袴の上に滴滴と落ちる涙を見つけた松伯は進講をやめ、なぜお泣きになるかと鋭くたずねた。

「するとご世子さまは懐紙で涙をぬぐわれ、落ちついたお声で不覚を詫びられたあとで、こう言われました。それでは家中、領民があまりにあわれである、と」

松伯のその言葉を聞いたとき、当綱は背骨から後頭部まで、何かしら名状しがたいぞくりとするものが駆け上がったのを感じた。

米沢藩は過去に三度、家中、領民から人別銭、またの名を人頭税と呼ぶ悪税を取り立てている。享保四年に、時の藩主吉憲が参勤のために出府する費用が調えられずに課したのがはじめで、つぎは八年前の宝暦四年、前年末に幕府から命ぜられた東叡山の修理と仁王門再建の助役という国役の費用捻出に窮したときである。そして三度目は四年前の宝暦八年に、やはり藩主重定の出府費用の工面がつかずに課したものである。

宝暦八年の人別銭の中身は、五百石以上の家中は妻子とも五十文、百石以上は三十文、五十石以上は同じく二十文、五十石未満の家中と町人、農民は戸主は十五文、家中の下男下女と、町人、農民の戸主以外の家族は一人につき十文、下人、門屋借りは八文と定められた。

この人別銭は、宝暦八年二月から九月までの八カ月間という触れ出しだったのに、満期になるとさらに徴収が継続され、翌年になって税額を雀の涙ほど下げただけで現在も続けられている。しかも森利真が取り立てているただいまの人別銭の苛酷なところは、同じ税を国元だけでなく、江戸詰の家中、小者、婢《はしため》、また理由あって他国に出ている者にも残らず割りあて、徴収していることだった。

藁科松伯は、学問に人格の淘冶をもとめるだけでなく、実学ということを重んじる儒学者である。米沢藩の歴史、地理などの大要を進講することを大義名分に掲げているものの、世子に米沢の話を聞かせる松伯の真意は、主として、税吏が歩いたあとには草も生えないというほどの藩のただいまの状況を飾りなく進講することにあるのを、藩主はともあれ、当綱は見抜いていた。

松伯のその話を聞いて世子が泣いたのは、藩の実情を理解したということになるだろう。理解して衝撃をうけ、十二歳の世子が意見を言ったのである。

——意見？　いや、違うな。

と当綱は思った。泣いたのは、やがて自分が統治することになる領国が、話のような苦難の土地であることを知って怖《お》じたわけではない。家中、町人、農民の惨憺とした暮らしに思いをいたしたのである。それはつまり、仁慈ということだろうか。松伯はそう言いたいのだろうか。

しかし直丸は、十二歳の少年である。そしてあえて遠慮ないことを言えば、世子とはいえ、ついこの間外からきたよそ者にすぎない。松伯が言いたがっているようなことがあり得ようか。

当綱が黙然と松伯を見つめていると、松伯がご家老と言った。

「われわれは、たぐい稀な名君にめぐり会ったのかも知れません」

「しかし、まだ御齢十二歳であられる」

松伯の顔はめずらしく赤味を帯びている。その顔に静かな微笑をうかべながら、松伯は首を振った。

「いいえ、お齢はかかわりござりません」

松伯はきっぱりと言うと、幸福そうな微笑をひっこめて一礼し、膝を起こそうとした。その松伯をひきとめて、当綱は身体をのばすと机の上の手紙を取った。

「対馬から手紙がとどきました」

「いかがでしたか」

「対馬は、手を回して森の屋敷にひそかに伏嗅《ふしかぎ》を入れるのに成功したそうにござる。その結果、うわさになっておった森の豪奢な暮らしぶりを確かめ得たと申しています。こう書いてありますな」

元馬喰町の旧宅から移るために、表町に新築した森利真の屋敷は、地盤を高く積み上げ、ひときわ高い黒塗りの門と塀をめぐらして、まるで城のようだと言われた。そして中の屋敷についても、部屋は金銀造りだとか、庭園には山があるとか、さまざまなうわさがささやかれてきたが、伏嗅が確かめたところによるとうわさはほぼ事実で、森の屋敷の座敷という座敷には金銀がちりばめられており、居間にはギヤマンの長押《なげし》をめぐらして、そこに金魚が飼われていた。

また庭にはうわさ通りの山が築かれていて、奇岩怪石が布置され、築山から流れ落ちる水で水車が回っているというぜいたくぶりだったが、おどろくべきことにここには、屋敷と庭を見回り修繕掃除するために常時三十人の人夫が雇われている、と千坂は書いていた。伏嗅というのは藩の探索組織である。

そしてさらにと千坂の手紙はつづいて、森の屋敷の塀の内側に建つ曰くありげな土蔵のことに触れていた。その土蔵には、うわさする者がいるようにかなりの人の出入りがあって、物を収納するだけの蔵とは思われなかったが、さすがの伏嗅もそこまでは入りかねた。しかしここまでの調べをみただけでも、領民の窮乏をよそにした森の驕奢ぶりはおどろくほかはない。

当綱が読み上げる千坂の手紙を、松伯はじっと聞いていた。そして終ると顔を上げて言った。

「このお手紙は、色部さまにも見せられましたか」

色部というのは、やはり江戸家老を勤める色部《いろべ》修理《しゅり》照長《てるなが》のことである。当綱が森排斥の相談をかけている重職の一人だった。江戸家老はもう一人、同職では一番古い広居左京清応《きよまさ》がいて、広居は千坂の実父であるが、相談相手としては筋が違うので当綱は森排斥の謀議のことは広居には秘匿していた。

「色部は帰国中でござる。むこうで千坂なり、芋川なりがくわしく話して聞かせるものと思います」

「そうですか」

松伯はうなずいてから、念を押す口調で言った。

「いま申された方方と、つねに意思を通じておることが肝要です。くれぐれも独断専行をお慎みなされますように」

「ご教訓、肝に銘じておきましょう」

と当綱は言った。

奸物森利真排除すべしという旗印のもとにあつまっているのは侍頭千坂対馬高敦、江戸家老色部修理照長、奉行芋川縫殿《ぬい》正令《まさのり》、そして当綱の四人である。呼びかけて四人の結束をまとめたのは当綱だが、松伯はその結束を大切にせよと言っているのだった。

藩政から森を排除する工作が、先ざき森誅殺という形で始末がつくことは大いに予想されるところだが、この場合は藩主重定に対する事後釈明がひとかたならぬ厄介事として残ることになる。

森利真は、もともとは上級家臣である侍組に属する森家の出だが、次男だったので一族の与板《よいた》組森武右衛門の跡目を継いだ。与板組は中級家臣で、藩主の旗本とされる三手組のひとつといっても、森が継いだ武右衛門家は二人半扶持《ぶち》三石取りの微禄だった。生家は四百石で、父も兄も侍組所属であっても、次男となると境遇はこのように違ってくる。

その微禄の家を継いだ森に日があたったのは、森二十六歳の元文六年のことで、この年森は当時まだ部屋住みだった現藩主重定の御小姓となり、新知三十石の取り立てを受けたのである。そして重定が藩主になると、森は御側役から侍組編入、御小姓頭次役、御小姓頭とめざましい累進をとげ、現在は藩政を一手ににぎる郡代所頭取という最高権力者の地位を占めている。その間禄高の方も加増につぐ加増を重ねていまは三百五十石、森はまさに藩主重定の信頼を一身にあつめる寵臣というべき存在だった。

その森の政治がけしからんと、許しも得ずに謀殺したりすれば、重定の激怒は必至で、対応を誤れば謀殺にかけた側も無傷では済まなくなるだろう。ほかの三人との連絡を密にしておけと松伯が言うのは、四人結束してそのときにそなえるということだが、剛毅な気性にまかせて、時に独断専行も辞さない傾向がある当綱が、肝心のときにその癖を出して孤立せぬようにいましめたのでもあった。孤立しては重定の怒りを防ぎ切れない。

師のその気持は、当綱には痛いほどによくわかった。もう一度深く低頭してから言った。

「孤立せぬように、重重気をつけましょう。しかし」

と当綱は言った。

「森は許しがたい男でござる。いかなる手段を使ってものぞかねばなりません」

「もちろん、もちろん」

と松伯は言って重重しくうなずいた。

「森はのぞかれるべきです。ご世子のために、道をあけてもらわねばなりません」

松伯は、当綱がこれまで師の口から聞いたことのないような、神がかりめいた言葉をつぶやくと、一礼して立ち上がった。

当綱も師を見送るためと、傾いている襖をあけるために立った。ぎしぎしと廊下を鳴らしながら詰め部屋に帰る松伯を見送ってから、当綱は机の前にもどった。すると障子に日の光が差して、机の上が明るくなっていた。朝から曇っていた空が、日暮れ近くなってようやく雲が切れてきたらしい。

その日差しに誘われたように、庭の木の実を喰べにきた鵯《ひよ》が鳴く声が聞こえた。当綱は机にむかうと、千坂からきた手紙をまた丁寧に巻きもどした。そしてそれが終ると机に載っている書類の山を手もとに引きよせたが、すぐには手を出さずに、障子を染めている日差しに目をやりながら、ぼんやりと片手であごをつまんだ。髭が、また皮膚を刺した。

——名君といっても……。

と当綱は思っている。藩政は重臣層から選ばれた執政たちが行なうべきもので、藩主一人が思いつきにまかせて専権をふるおうとすれば、勢い形は側近政治となり、森のような独裁の権力者を生み出しかねないのだ。

とは言うものの、藁科松伯が名君を待望する気持も当綱にはわかった。現藩主の重定は、兄であるさきの藩主宗憲、宗房に子がなかったので、跡を襲って藩主の座についた幸運な人物だが、藩財政の窮迫をよそに奢侈にふけり、心ある家臣を嘆かせている凡庸の君主だった。

その凡庸さが現在の森利真の独裁を許し、また森の台頭に先立って退場したさきの筆頭奉行清野内膳秀祐《ひでひろ》に、前代からひきつづく二十六年間にもわたって、権力をほしいままにさせた原因だとあからさまに指摘する声があり、また声に出して言わなくとも、藩主のそのような藩政に対する無関心が現在の藩の疲弊と根底のところでつながっていると考える者は大勢いた。

もちろん人別銭を取り立てねばならない藩の財政状態というものは、長年の疲弊に、幕府の工事手伝いとその直後から相次いだ凶作が最後のひと押しを加えたという面があり、すべてが重定の凡庸のせいのように言うのは酷な話だが、重定がせめて好きな能楽乱舞の半分ほども政治に心を用いていたら、というのは、松伯ならずとも藩の行末を思う大方の者の考えることだった。

――しかし仮にいまここに……。

名君一人が現われても、と思いながら、当綱は今度は両手でごしごしと顔をなでた。硬い髭が音を立てた。

藩はいま、病人にたとえれば五体に毒が回ってしまった状態だった。世子直丸が、松伯の言うような名君の卵だとしても、とても間に合うまいと当綱は思うのである。手を膝にもどすと、当綱は赤味を帯びはじめた障子の日差しを黙然と見つめた。胸の内を、虚無の思いがかすめ過ぎたようである。

――森は片づける。しかし改革は間に合わず、藩はいずれ野垂れ死にするだろう。

膝に十月の冷えが這い上がってきた。しかし家老の部屋に暖をとる火が配られるのは、まだ先になるはずだった。

三

関ヶ原役の翌年の慶長六年、上杉景勝は会津百二十万石から直江兼続《かねつぐ》の知行地米沢三十万石に移封された。このとき景勝が、譜代の家臣五千人を手放さずに米沢に移ったのは、戦国大名として当然の措置と言える。

関ヶ原役でとった上杉の姿勢は受け身の目立つものだった。上杉の家宰というべき立場にある賢臣直江兼続は西軍と気脈を通じていたが、上杉全体としては西軍に属したとは言えぬあいまいな立場をとった。ただし家康には独力で対抗し、家康が五万九千の会津討伐軍をひきいて来攻すると、上杉は領内白河の南方革籠原に必殺の陣を敷いて待ち受けた。

ところが家康が石田三成の挙兵を聞いて小山から引き返したので、景勝は追撃を主張する兼続以下の諸将を押さえて会津に帰った。のちに名分に固執して歴史的な好機を逸したと言われる場面である。しかしこのほかの兼続の最上出兵も、国境線における伊達軍との攻防も、先に挑発したのは最上であり伊達であり、上杉はどちらかといえば受け身の戦に終始したのであった。

だがこの間に関ヶ原の西軍の敗報がとどくと、家康の再度の来襲を必至とみた上杉陣には、決戦の気概がみなぎった。ところが同じころ、伏見で外交交渉をすすめていた千坂景親から、徳川との和平の見込みありという急報がとどいたので、景勝は各戦場から若松城内に諸将を呼びもどして、和戦を評議させた。空気としては戦うべしという意見が強かったが、景勝はやがて主戦論を押さえて降伏を決定した。

翌年秋、上杉は五千の譜代を温存したまま、食邑四分の一の米沢に移った。家臣の俸禄は三分の一にとどめたが、しかしこれが米沢藩の苦難のはじまりだった。

直江兼続が治めていたころの米沢は小さな町だった。越後与板以来の兼続直属の手兵でなる与板衆八百五十五騎が住む侍町、ほか商人町、職人町数町がいわゆる城下町で、その中心をなす米沢城は、かつて伊達、蒲生二氏の居城だった場所といっても、築城はこの二氏以前に、この地方を七代にわたって支配した長井氏の初代大江時広の時代に遡る、古くて規模狭隘な堡塁だった。

濠は浅く、土塁は低い。

人口六千ほどのその町に、領主景勝以下の諸将、譜代五千人とその家族が移り住んだのだから、その混雑というものはたとえようがなかったろう。しかもこの引越しは、慶長六年八月末ごろから九月十日ごろまでの短い期間に、家康の重臣で和睦交渉の徳川方の中心人物でもあった本多正信の家臣二名を監視役として行なわれた。混雑に拍車がかかったはずである。

兼続は自分は城外に仮屋を建てて住み、米沢城に景勝を迎え入れることにしたが、そのほかの家臣は、いったん収公した米沢の侍町、町人町の家家を再割りあてして、そこに住まわせた。その結果、一軒の家屋敷に四、五十人の人が入り住むという有様になったが、それでも既存の建物には家臣と家族を収容しきれず、町から溢れ出た小禄、微禄の者たちは、その周辺や、少しはなれた村村に粗末な仮屋を建てて住むことになった。

九月といえば、秋はもう酣《たけなわ》である。引越しさわぎが一段落したころは、冬も間近という季節になっていた。上杉の家中にとっては、その冬は戦陣の暮らしに異らない長く辛いものとなった。

このような暮らしは、その後数年にわたってつづくのだが、藩再生の総指揮をとる兼続は、その間にも着着と軍備充実の手を打って行く。

景勝が米沢城に移ってきた十一月末には、二ノ丸を構築し、慶長九年の二月には城下の四方に鉄砲隊を配置した。そしてなお鉄砲による戦力増強を目ざして同じ九月には、近江国国友村の吉川総兵衛、和泉国堺からの和泉屋松右衛門の二鉄砲師を招いて禄をあたえ、領内関村の白布高湯で鉄砲を製造させた。その年の十一月には、兼続は家中に対して鉄砲鍛練の触れを出している。

この年はまた、旧領の越後から番匠五十名を招いて、城の門、塀、櫓を拡張改築させたので、城の体裁もやや整った。そしてさらに四年後の慶長十三年には、米沢城は外曲輪《そとくるわ》の建築に着手し、また外濠を掘削して水を引いた。この時に本丸、二ノ丸の修築も一緒に行なったので、これらの工事が完成したとき、米沢城はようやく三十万石の戦国大名の居城にふさわしい形容をそなえるに至ったのだが、それでもなお本丸に式台、広間、台所などが設けられたのは、時代が元和に移ってからだった。

外曲輪造営に着手した翌年の慶長十四年に、江戸の桜田屋敷にいた直江兼続は、国元の奉行平林蔵人佐正恒に指示書を送って、はじめて本格的な家中屋敷の建設に着手させた。

その屋敷割は、城の大手にあたる東側に上級家臣である侍組を配置し、南側、西側、北側には三手と称される精鋭の中級家臣、馬廻組、五十騎組、与板組を配するものだった。以上が曲輪内に配置された家中で、さらに外濠の東には商人町六町が町割され、職人町はその六町の周辺に町割を受けた。

そして中級家臣以下で、曲輪内に居住出来なかった小禄、微禄の家中は、城下周辺と、街道口にあたる南原、松川対岸の東原などの未墾の原野に屋敷を割りあてられ、ことに原住みの者は城の防衛と開墾の二つの目的を兼ねて、半士半農の暮らしを送ることとなった。その数はおよそ千九百軒で、曲輪内に居住する中級以上の家臣およそ九百軒の二倍だった。

のちに原方《はらかた》郷士と呼ばれる彼らは、百五十坪の屋敷をあたえられ、開墾に従事すれば年貢を優遇されたので、家によっては曲輪内に住む中級家臣より楽な暮らしを送る者もいた。米沢藩はこのような家中の再配備と領内の要衝の地に警備と行政を担当する御役屋、国境の重点地点に番所を設置することで、厚味のある国の防備体制を完成させた。

しかし米沢藩がこのように藩の体裁をととのえるまでの道筋は、決して楽だったわけではなく、中には困窮に堪えかねて途中で逃亡する家中もいて、藩は郷村に対して、逃亡する武士を捕えた場合は褒美をあたえるという触れを出さざるを得なかった。また暮らしの困窮は自力で補うことが鉄則とされ、近間の村村に住居している者で、譜代であれ浪人であれ、開墾もせず商いもしないでごろごろしている者は村に置いてはいけない、宿を貸すことも罷《まか》りならんという触れも出している。

当然ながら倹約についても触れはこまかく、紬、木綿、布子《ぬのこ》、紙子のほかの上着をきてはならない、菜園をつくり、薪のしまつ、垣根の手入れはすべて自分でせよ、京都、江戸に行くときは借銭をせぬように心掛け、一紙半銭の費《つい》えを慎むようにしろと諭し、その際はたとえ扇子一本、帯ひと筋といえども土産に買ってはならぬと命令した。

しかし当時の暮らしは、士農工商を問わずもともとつましいもので、屋敷割を受けて移転当時の仮住居から曲輪内に移った中級家臣といえども、家は藁葺きの掘っ立て小屋であり、家の中は土間に籾殻を置き、その上に藁、むしろを敷いて居住していた。部屋の間仕切りは葭簀《よしず》で、ただ使用人を抱えていたので、台所は広かった。その後次第に座敷を板敷きにするようになったが、享保のころまでは、部屋は土間、家の柱は斧で削ったものを用い、座敷だけが板敷きというのがごく普通の住居だった。中級家臣である三手組の家でも、足りない飯米を補って多くは糅飯《かてめし》を喰ったし、正月の酒の肴というものもほしこ煮と人参の水和《あ》えだった。俳諧の夜会が行なわれても、灯を用いず、煙草盆の中につけぎを置いて、句が出るたびにこれで火をともして句を書きとめた。このような集いの夜食は焼飯に漬菜と決まっていた。

武家にしてこのような暮らしであるから、農工商の庶民の暮らしは推して知るべしだが、たとえば城下町の町割が行なわれた当時の商家は半商半農で、由緒ある富商を別にすれば、ふつうの商家は藁葺きで、家の間取りも店、居間、台所だけだった。したがって商品を店に飾ることが出来ないので、商いは商品を市日に出して行なうのがふつうだった。

武家と庶民の暮らしの内実はこのようなものだったが、藩政の采配を握る兼続は、武家の暮らし向きをよくするために庶民の年貢を重くするという安易な方法は取らなかった。兼続は慶長三年に米沢領主として入国したとき、城下の商人町の年貢を三年間免税とした。このような領民保護の方針は今度の場合も貫かれて、河川水利の改良、新堰の掘削などをすすめて条件を整えながら農民に新田開発を奨励し、一方で漆、青苧《あおそ》、桑、紅花などの換金に結びつく作物の植付け拡大をすすめた。

水田が少なく山村部が比較的多い米沢領では、この種の換金作物の植付け促進は不可欠の政策だった。兼続のこの見通しはのちに実を結んで、ことに漆、青苧は米沢藩に大利をもたらす産物となった。

兼続は領民に勤勉を説いたが、搾取はしなかった。年貢もこの時代に言う三ッ七分、三七パーセントほどで、当時としては低い率だったと言わざるを得ないが、兼続の経営策は、目前の困窮を脱するために領民をしぼることを排し、むしろ領民を育て、暮らしむきをよくすることで、領土の潜在的な富をふやして行こうとするものだった。

米沢藩の家中屋敷が一般に広いのは、屋敷内に菜園をつくれるようにしたからである。暮らしが困窮しているといっても、自給自足の体制はととのっていた。いそがずあわてずに国力を養い、いずれは表高三十万石の領土を実質五十万石に仕立て上げるのが兼続の構想だった。

兼続の死後十九年目にあたる寛永十五年に、米沢藩は上杉入部後はじめての検地を実施したが、慶長六年当時の石高が、長井郡十七万七千九百三十二石余、信夫、伊達二郡十二万三千六百三十八石余、計三十万千五百七十石余であるのに対し、寛永検地で確かめられた米沢三郡の石高は、長井郡三十万五千百三十八石余、信夫、伊達二郡二十一万二千九十四石余、合計して五十一万七千二百三十二石余であり、兼続が目標とした実質五十万石の構想は達成されたというべきだった。

しかし米沢藩が、寛永十五年の検地まで、年貢率を上げることもなく、概ね直江兼続の遺制を守って領民を搾取することなく過ぎたのは、先に述べたように、上下を問わず元来の暮らしが戦国の遺風を残して質素だったことにもよるが、一方に米沢藩には越後以来の軍用の御囲金《かこい》というものがあったからである。御囲金はいざというときの軍資金だが、合戦の機会が少なくなるにつれて、この貯え金が平時においてもいざという場合の頼りになったことは言うまでもない。

米沢藩のこの貯えは、正保二年に三代目の藩主定勝が死去したときに、玉金、延金そのほかで十四、五万両、ほかに長持の中に竿金、竿銀が幾万とも数え切れないほどあったと言われている。米沢藩は、慶長八年に幕府から江戸城桜田門の前通りに屋敷をあたえられたが、慶長十五年に、その桜田屋敷を将軍秀忠がたずねるということがあった。この種の行事は、迎える側に多大の出費を強いることになり、またそれが幕府の狙いでもあって、上杉家では昼夜兼行で屋敷内に御成御殿を建設するという騒ぎになったが、こういうことも幕府が米沢藩に、謙信以来の貯えがあることを疑ったせいとも言われたが一部は当っていたわけである。

会津藩から総引越しして、米沢三十万石にぎゅうぎゅう詰めに入りこんだ上杉はたしかに貧しかったが、真実の貧しさからはまだ少し遠かった。真実の貧しさは、もう少し後の年代になって現われてくる。

四

寛文四年の閏五月一日に、米沢藩主播磨守綱勝は江戸城登城の帰りに、鍛冶橋にある高家の吉良上野介義央《よしなか》の邸に寄った。

綱勝の妹三姫が吉良義央の夫人となっていて、義央は綱勝の義弟になる。その日綱勝は吉良邸で茶を喫して桜田屋敷に帰ったのだが、その夜半からにわかに腹痛に襲われ、夜明けまで七、八度も胃の腑のものを吐瀉する有様で、抱えの医師たちが手をつくしたものの、症状は悪化するばかりでついに七日の卯ノ刻に死去した。

あまりに早急な死去に、直後の江戸屋敷では吉良家による毒殺説がささやかれたほどだったが、それよりも藩が驚愕したのは、綱勝にまだ嗣子がいなかったことだった。

当時の幕法では、嗣子なく死亡した大名家は改易となる定めである。この制度は、慶安四年に改められて、嗣子のいない大名が、死にのぞんで急に相続人を願い出るいわゆる末期養子が認められるようになったが、二十七歳の綱勝には、むろん末期養子の用意もなかった。兄弟もすべて早世していた。

景勝から三代目、藩祖謙信から四代目にして、米沢藩はこのようにして突然に改易離散の危機に直面したわけだから、家臣の狼狽ははげしかった。しかしその混乱の中で必死の延命策が講じられ、米沢藩は会津藩主保科正之を頼り、正之の奔走で吉良義央の長子で齢わずか二歳の三郎(綱勝の甥)を後嗣に立て、十五万石の半知で米沢藩を存続させることに成功した。保科正之は、綱勝のさきに病死した夫人清光院の父である。

一説がある。綱勝が死去したとき、枕頭には家老澤根伊右衛門恒高、江戸家老千坂兵部高次らと、綱勝の寵臣で小姓頭を勤める福王寺八弥信繁らがいたが、保科正之に願い出る後嗣について両者の意見が合わず、吉良三郎を推す澤根、千坂らに対し、福王寺信繁は正之の子で綱勝の先妻清光院の弟である東市正を養子とし、これに吉良家の女子を配すべしと主張した。この案に拠れば三十万石存続が可能だろうとも言った。

東市正は血筋から言えば、家康の曾孫であり、また吉良家から女子を配すれば上杉の血筋も残るとする信繁の案は当を得た卓見だった。しかし器量抜群の信繁に、さらに嗣子擁立の功まで奪われることを恐れた澤根、千坂らは、この案に強く反対した。しかし結果は、吉良三郎を嗣子に迎えることを得たものの領地は半減したので、このことを知った米沢藩の上下は悉く《ことごと》澤根らを怨んだというのである。

その説の真偽はともかく、吉良三郎改めのちの上杉綱憲を藩主に迎えたことは、米沢藩にとっては大きな失策を犯したことになるかも知れなかった。綱憲は成人するにしたがって、元来質実な上杉家の家風とは相容れない、高家の血を引く奢侈好みの性格を露わにして行くからである。

三十万石の領土が半分の十五万石に減ったということは、ひと口に言えば家臣の俸禄も半分に減るということである。会津時代のじつに八分の一である。これをさらに具体的に言えば、上級家臣である侍組九十五家は俸禄で暮らしを維持出来るけれども、中級家臣である三手組（馬廻、五十騎、与板の三組）と、家臣の八割を占める小禄、微禄の者は、俸禄ではもはや暮らしが立ち行かなくなったということだった。

もともと家臣が多過ぎて苦労してきた米沢藩としては、今度の減石を理由として思い切って藩の減量をはかるべきだという考え方が当然あっただろう。藩が防衛的な人数を必要とした時代は終って、四十六万石の福岡藩に匹敵する多過ぎる家臣は、藩の負担以外の何ものでもなかったから、そうしたところで、米沢藩が世の指弾を浴びるということにはならないはずだった。

しかし今度の騒動で、藩の恩人的役割を演じた保科正之は、家臣召放ちに反対した。藩はその意見をいれて、俸禄半減の措置で切り抜けることにし、その実態はさきに述べたようなことになったのだが、それでも家中に支給すべき知行（扶持米、切米も知行に換算）の総計は十三万三千石となり、その残りを藩運営の経費、藩主家の用度金ほかにあてる藩の財政はにわかに窮屈となったのである。

だが、形の上からは米沢藩の救世主として現われた新藩主綱憲に、右のような藩の現実が見えていたかどうかははなはだ怪しいと言わざるを得なかった。

綱憲が、それまでの上杉喜平次（三郎）から元服して上杉弾正大弼《だいひつ》綱憲となった延宝三年ごろから、藩は米沢城御本丸、御書院、二ノ丸、能舞台、麻布御殿をつぎつぎと造営した。そしてたとえば御書院は幕府の書院を模倣したもので、南北十二間半、東西三間半、屋内の装飾は贅美をつくしたものだった。御書院と表御座の間は長廊下でつながれ、また中の間には美麗な一亭を置いて、これを御数寄屋と称した。また表御座の東に能舞台を設け、御台所の南に附属する上膳部所は南北十余丈、東西四丈もある広大な建物で、中には膳立の間、鉢部屋、銚子部屋、番将部屋などがあった。

このように異様に華美な建築はすべて江戸城の造作を模倣したもので、これら規模広大で贅沢な作事、あるいはこのころから目立つようになった諸寺院への寄附の増加などは、綱憲の実家である吉良家の助言に従ったものだった。

出費を顧みないこうした新規の建築工事などに加え、綱憲自身の暮らしも華美なものだった。延宝ごろの綱憲の年間の衣食料は二千両に達し、またしきりに能興行を催して、元禄年中には「嵐山」一番に一千両の金子を消費するという有様だった。その上参勤の行列は侍組、三十人頭、物頭組を加える大名行列で、このころから出費は増加の一途をたどった。

元禄十二年の米沢藩江戸屋敷の年間支出金は二万五千五両という多額だった。商品経済の発達が目立ってきたこの時代の江戸藩邸の費用増大は、当時の大名家に共通する悩みだったが、米沢藩の場合は、藩主家の奥向きの暮らしの豪奢、定詰の藩士、奉公人の増加、江戸の暮らしの贅沢化などによる増加のほかに、藩主綱憲の実家吉良家に対する金銭的合力の額が大きかった。

たとえば吉良家の町方買掛金が六千両もあるのを、藩は上方から借金して年一千両ずつ支払ってやったし、元禄十一年に吉良邸が焼失したときは、呉服橋に建築した贅沢な新邸の作事の費用の大部分を藩が負担した。しかしこうした吉良家にかかわる冗費のしわ寄せは、残っていた御囲金を費消するという形でやがては国元にかかってくるわけで、事情を知っていた米沢の家中は、のちに藩主の実父吉良義央が赤穂浪士に討たれた知らせが国元に伝えられたときも、反応はひややかだったと言われている。

さきにも述べたように、米沢藩には三代藩主定勝が死去したときに玉金、延金、砂金などの、一箱七、八貫目にもなる箱が九十四箱もあり、これを正保二年の時価に直すと十四、五万両に相当するものだった。なおこのほかに、長持に入れた竿金、竿銀が数本もあり、これは幾万か計ることが出来ないほどだった。歩銀蔵に納まるこの竿金、竿銀は、領内から上がる貢租の一部で、それは費消することなく格納しておくだけだったので、その重みで歩銀蔵が一部壊れるということがあったともいう。

要するに米沢藩は、米沢移封で石高で四分の一に減ったといっても、内実はかなり裕福で、藩経費、藩主家の掛り費用の不足分、あるいは不時の出費等を賄うに十分な金銀の貯えがあったのである。引越し当時の家中の俸禄を三分の一にとどめ得た秘密もここにある。その御囲金は、吉良家から入った綱憲が藩主となったときはなお六万両ほどは残っていたが、綱憲が死去した宝永元年には皆無となっていた。

すなわち綱憲在世中に御囲金は底をつき、藩財政の不足は国元、江戸商人、上方商人からの借金で補うという新しい事態が立ち現われてきた。このような借財は元禄十一年にはじまったので、これが米沢藩の借金のはじめとされている。その以前、四代綱勝の万治元年に、綱勝が国元の代官、および富商から二千両ほどの金子を借りたことがあり、これを藩借財の嚆矢《こうし》とする説があるものの、当時はまだ藩の御金蔵に二十万両近い御囲金が温存されていたので、元禄十一年の借金とはいささか性質が違うとみるべきだろう。

その上綱憲は、元禄十五年に至ってついに家中から俸禄四分の一の借り上げを実施した。事実上の減石であるこの借り上げは、じつは綱憲が上杉家を継いだ寛文四年ごろから、藩財政の窮屈にくるしむ全国諸藩に徐徐にひろがりはじめた緊急策であり、そういう一般的な情勢から言えば、米沢藩はよく持ちこたえたというべきかも知れない。

しかしそれも御金蔵に御囲金があった間のことで、その貯えを費消しつくすと、窮乏はただちに米沢藩に襲いかかってきたのであった。綱憲の豪奢の背後には、ことに元禄という時代の奢侈を好んだ世の風潮があり、藩窮乏の急転回を藩主一人のせいにすることはむろん出来ないことであるが、綱憲の贅沢に馴れた高家の血、あるいは都市人感覚といったものが、その原因の一端をなしたことは疑い得ないところである。

五

以後の米沢藩の財政は悪化の一途をたどり、綱憲の跡をついだ吉憲の代には、参勤の費用が捻出出来ずについに人別銭を徴収するに至ったことはさきに述べたが、つぎの藩主宗憲の代享保十八年には、江戸城の濠の浚渫《しゅんせつ》という国役を命ぜられ、家中の俸禄半分を借り上げて急場をしのぐという事態が起きた。

家中借り上げは綱憲以後次第に習慣化していたが半知借り上げはこれがはじめてだった。つぎの宗房は、兄宗憲の急死の跡をついだ藩主だが、このような藩財政の緩和に心を砕いた形跡があり、襲封五年目の元文三年には、領内郷村の困窮がひどくて年貢が滞っている有様をみて、古年貢の七ヵ年延納と当年分年貢の完納を命じたところ、米沢藩の年貢は半米半銀が建前だが、その年の年貢米は米蔵にあふれて急遽用意した仮屋に積むほどにあつまり、また銀納も歩銀蔵の床が壊れてしばらく銀納を差しとめるほどに納入された。

この触れを、膠着する年貢未進の状況を打開する藩の一工作とみることも可能だろうが、旧債に喘いでいた農民がこの触れに善政の匂いを嗅ぎつけたことも確かなように思われる。この年はまた、漆の実、青苧などが豊熟だったので、年貢の完納と相俟ってひさしぶりに藩の財政にゆとりを生じ、宗房は家中藩士に対し三年には物成《ものなり》（米）の一部を、元文四年、五年にはそれぞれ借り上げの銀と米を返還した。

米沢藩は、このように宗房の時代に窮乏も一服という状況を迎えたが、この宗房も二十九歳の若さで死去して、さらにその弟で吉憲の四男にあたる重定が新藩主となると、再びきびしい窮乏に直面することとなった。

延享三年に、兄宗房の跡をついだ重定は、翌年五月に初入部したが、八月に至って家中藩士に文武ならびに謡曲乱舞に心がくべきことという諭告を出した。自分が好む謡曲を奨励したわけである。この諭告後、藩士はみな謡曲の稽古に熱中して、学問弓馬の道を顧みる者はいなくなったと言われた。この新藩主を綱憲の再来のように見た者もいただろう。

重定の治世下で、藩財政はふたたび深刻な様相を見せはじめていたが、延享、寛延のつぎに来た宝暦という時代は、薄氷を踏むようなやりくりをつづける米沢藩財政に、ほとんど致命的ともいうべき一撃、二撃を加えるために到来したかのようであった。

脆弱な藩財政に加えられた最初の一撃は、重定が藩主になってから七年目の宝暦三年末に幕府から下命された上野東叡山の中堂の修理、仁王門再建工事の助役だった。その費用は九万八千両もかかると概算されたので、藩ではただちに費用の調達に取りかかったが、領内からは家中、商家、郷方を合わせて六千二百六十両、越後商人の渡辺儀右衛門千七百両、与板の三輪九郎右衛門四千五百両といったところが借入金の主だったところで、これらの借入金を合わせても金額は一万二千五百両に満たなかった。

藩では、あとの不足分を上方からの借入金と、領内に宝暦四年三月から毎月徴収の人別銭を課すという非常手段に訴えて、辛うじて乗り切ったが、このときの作事手伝いは、借財の急増と人別銭による家中、領民の疲弊という大きな傷あとを残すこととなった。

こういう経緯はありながら、米沢藩では宝暦四年十月の晦日に、幕府に手伝い工事の落成を報告することが出来たのだが、翌五年は奥羽一帯を覆う大凶作年となり、米沢藩も宝五の飢饉と呼ばれることになるこの大飢饉を免れることは出来ず、大雨による河川氾濫で田畑の損失は二千七百四十九町歩に達し、三万七千七百八十石余の収穫が消滅した。この状況をみて、八月に入ると米は一俵一貫七百三十文に騰貴し、藩が一俵の値段を一貫五百文に指定すると、村からの米穀の出回りがぴたりととまった。藩では市中に横目を放って米を探させたところ、町中の米は百九十七俵しかなかったのは、東町の長兵衛が六、七百俵の米を隠していたからだという。

こういう状況と飢饉を憤った南原の下級藩士に率いられた関村、李山《すももやま》村などの農民五、六百人が、九月十日馬口労町酒屋遠藤勘兵衛家、南町の酒屋久四郎家、紺屋町の喜右衛門家を襲い、その三日後の十三日には城下に住む微禄の藩士五、六百人が、米座のある粡《あら》町の富商五十嵐総右衛門家、立町の油屋五左衛門家を襲って土蔵を破った。

叛徒はただちに鎮圧されたものの、冷害による不作、大雨、長雨による河川氾濫で田畑が損壊する凶作は、宝暦六年、七年とつづき、六年には餓死者が出た。藩では六年八月に、松川の川岸に二間に三十間という長大な救済小屋をつくって、飢えに苦しむ者に朝夕粥を振舞ったのだが、それを聞きつけて遠くの山村から妻子を連れて出てくる者もあり、このために残る者が一人もいなくなった山村も出た。

宝五の凶作で、高二十三万石余のうち十九万石余の減石を生じたという弘前藩、あるいは飢饉に悪疫が重なって死者五万人を出した盛岡藩ほどではないにしろ、米沢藩でも、宝暦五年の損失三万七千七百八十石余につづき、六年は五万三千五百石余、七年には八万二千二百七十石余という損失を出し、ことに宝暦七年は松川、野川、吉野川などの大規模な河川氾濫によって耕地に砂礫が流入し、七万石の休地を生じるに至ったのである。

国役の大出費とそのあとの相つぐ天災というダメ押しで、窮乏のどん底に落ちた藩を前に、筆頭奉行の清野秀祐がなすすべもなく職を退いたことはさきにも述べたが、二十六年間にわたって藩の政治権力を掌握してきた清野の、在職中の権勢は比類がないもので、清野の屋敷の中にある稲荷社に、姓名と希望の役職を記した賽銭を投げ入れて祈願するという風習がはじまると、あっという間に家中にひろまって清野稲荷が大繁昌したという。

こうした状況の中で、家中、領民はどのように暮らしをしのいでいたのであろうか。

六

総称して三手組と呼ばれる馬廻組、五十騎組、与板組は、米沢藩家中の中核だった。

馬廻組は藩祖謙信の馬前のそなえを勤めた勇猛の旗本百騎を淵源とし、五十騎組は出生地上田以来の景勝の旗本で、とくに景勝が征服に手を焼いた大敵新発田重家を攻めて決戦を挑んだとき、直参の五十騎の武功が著しかったのでその名を冠された組、また与板組は、上杉の柱石直江兼続の与板城以来の直参で、兼続の功業を戦塵の間にささえてきた者たちである。

三組ともに、その後人数をふやし、のちには家中の総人数の二割ほどを占めるようになったが、それは戦時の働き場が遠ざかるにつれて、平時の重要な職務をゆだねられるようになったからでもあった。

馬廻組が勤める役職は大目付、御中之間年寄、御留守居、郡奉行、宗門奉行、町奉行、御中之間番頭、藩主に近侍する御中之間詰二十四人などであった。このうち御中之間年寄六名は奉行の下で重要政務に参与する要職で六人年寄とも称したが、内二名は郡奉行を兼務した。

また五十騎組は御奥御目付、板谷御殿将、道奉行、江戸各御屋敷将、御勘定頭、代官などの役職を勤め、与板組の所管は武芸所差配、金山奉行、浜役などであった。また、馬廻組はその下の三扶持方（徒組）、十八足軽組によって編成される段母衣《だんぼろ》組、百挺鉄砲組、長手槍組、三十挺槍組、弓組（のちに鉄砲組となる）、足軽鉄砲組を統率する組頭を出し、五十騎組は弓組、長手槍組、足軽鉄砲組の組頭を出した。ちなみに馬廻組が統率する足軽鉄砲組は二組で、組頭は四名、五十騎組に属する足軽鉄砲組は三組で、組頭は六名だった。

また与板組の統率下に入るのは大筒組、足軽鉄砲組三組で、与板組からは大筒組頭一名、足軽鉄砲組頭六名だった。合計八組の足軽鉄砲組は、米沢藩の銃砲陣の充実を物語るものだった。

三手組はかつては精強上杉軍団の中核であり、平時においても藩の組織の中核を占める家中の中の精鋭だった。ところが、藩の石高が三十万石から十五万石に半減した寛文以降の窮乏の中で、もっとも困窮をきわめたのがこの三手組だった。

領土半減、知行、俸禄は会津時代の八分の一となっても、侍組は俸禄で暮らしを維持出来た。

侍組は奉行、江戸家老、侍頭を出す分領家《ぶんりようけ》という家柄、その下の高家衆、平侍と称する家格の者をあわせて九十五家があるが、うち十三家を占める分領家の知行、禄高はおよそ千五百石、千六百石が普通で、家格がもっとも高い家の知行、禄高は二千百石だった。またその下の高家、平侍と称する家格に属する侍組にしても、平均して二百石から五百石の知行取りであった。

その上侍組にはすべて下屋敷があたえられており、またそのほかに無年貢の菜園も拝領していて、その菜園の規模は少ない者で三反五畝、千五百石から二千石の高禄の者になると二町歩の菜園を持っていた。享保十八年にはじめて出現して、以後藩の常套手段となる半知借り上げの悪政下でも、侍組は衣食に窮するようなことはなかった。

そしてもう一方の三扶持方、十八足軽組といった軽格、微禄の者たちは、俸禄で暮らすことをとっくの昔にあきらめて、半士半農の原方郷士に代表されるように生計の道をはやくから農工商にもとめていた。

原方郷士を別格にして、ほかの下士たちもあるいは高利貸をいとなみ、あるいは細工物、絹糸などの仕入れ問屋に類似した商売を行なう者、あるいは実際に店を構えて商いをする者、そしてその中には商人として馬に荷を積み、他領との間を行き来する者までいた。家の中で内職の細工物をする家は少しもめずらしくなく、子供まで内職仕事に精出すのがつねの風景だった。

こういう世の風潮に抵抗して、少ない俸禄で家計をやりくりし、武家の矜持を保とうとつとめる者は、時勢を知らない偏屈者とかえってまわりに嘲られるという状況が、微禄の家中の日常となっていた。

寛文の領土半減後、三手組の俸禄は二十五石が定知となった。ただし馬廻、五十騎、与板の各組にはそれぞれ一人ずつの統率者を置き、これを宰配頭と称した。そしてこれとその下の三十人頭、また槍組、弓組、鉄砲組、大筒組それぞれの組を統括する物頭、この三種の役職につけば、二百石から二百五十石、まれには侍組並みの二百八十石の俸禄を拝領することが出来た。

ただし右の禄高は当人在任中のもので、役職者自身が死亡し、あるいは隠居して役を去った場合は、家禄は五十石に減り、孫の代になると現状の二十五石にもどる定めだった。しかしたとえば宰配頭に任ぜられれば、二百五十石の俸禄をもらって侍組に準ずる待遇をうけるので、三手の家中はこれらの役職をうけるために、ふだんの奉公においても精励これつとめたのであった。

いわば家中の中でももっとも純粋な形で、武家の矜持を保ってきたのが三手組と言ってよいだろうが、精励につとめても役につけないいわゆる無役の三手は、二十五石の俸禄で武家の矜持を保つのがむつかしいのも事実だった。

すでに正徳のころから、三手組の家でも細工物の内職をし、また暮らしに困って家財を質入れするといった光景が現われはじめていたが、この藩の中核であるべき三手組の困窮に、最後のひと押しを加えたのが藩による半知借り上げ政策である。享保末に出現したこの財政弥縫《びほう》策によって、三手組の平均手取りは実質十五石となった。十五石の俸禄では喰い、かつ武家の体面を飾ることは不可能である。

三手組の間に、いかなる卑劣な態《てい》をなそうとも、家格を守り家族を養い、主君に御奉公することこそ肝要なれという意識が行きわたったのはこのころからであったろう。彼らは内職を恥じなくなった。三手組の者が、顔を隠すこともせず、本来は農民が農作業のときに用いるにぞと呼ぶ藁帽子をかぶり、荷かけ縄一本で重荷を背負って意気揚揚と町中を歩いていたと人人がうわさするようになった。

また三手組は十五組を二つに分けて、月に一度城中広間に出仕し、夜の警衛にあたる制度になっているのだが、彼らはこの勤めを御殿に寝に行くと称して、登城するときは夜具を持参し、亥《い》ノ刻（午後十時）になるとさっさと寝てしまうのが習わしとなった。

こうした士風の乱れは、言うまでもなく生活の困窮が招いたものであったろうが、それだけではなく、財政のやりくりに窮した藩当局が、献金と引きかえに商人に苗字帯刀を許し、しきりに家中に取り立てる政策をすすめたことも無関係ではなかったろう。

町人が献金して苗字帯刀を許されるという風潮は当時の諸藩にみられた現象だが、米沢藩では享保年代にはじまり、そのころ立町の惣六が城に百両を献金して帯刀を許されたのを諷して、城下につぎの落首が現われたという。

百両の金を刀にとり替へた
米沢一の馬鹿の惣六

しかし献金で武家身分を購《あがな》った商人は惣六だけではなく、元来富裕な酒屋で、家中が困窮に陥った正徳のころから館山口に藩公認の質屋をひらき、家中に金を貸していた吉井忠右衛門は、藩への貸金数万両をそっくり献金した見返りに与板組に取り立てられたし、富商の寺嶋権右衛門も同じく藩に貸金五万両の献金を申し出て商売をやめ、三手組に入って知行七十石をもらった。

繰り綿の商売で巨富を積んだ五十嵐応元は、三手の与板組に入り、煮売茶屋からはじめ苧綿《からむしわた》、小間物を商って富商となった奥山久四郎の子良助は御小納戸頭《おこなんどがしら》となり、三手の馬廻組に入っただけでなく、南堀端の三手組の町に移って居住した。また東町の商人孫左衛門は関村の出で元来無学文盲の人間だったが、塗物を隣国仙台に商って富を築き、二代目の孫左衛門は城下南町、隣国の山形に支店を持ち、遠く京、大坂、江戸の三都、仙台、新潟と取引きをして大富商となり、藩の籾代官に取り立てられた。籾代官となった孫左衛門は、藩から乗輿御免の待遇を許され、羅紗の合羽に緞子《どんす》の野袴をつけて威風を張ったという。

そういう世情を目撃すれば、三手といえども辛苦して武家らしくあるよりは身を窶《やつ》しても金銭を得ることが第一と割り切らざるを得ないのは当然というべきだが、そういう割り切りようでは、三扶持、足軽の微禄の家中のやり方は徹底していた。

暮らしに窮した微禄の家中が、自分の嫡子を養子に出したり、金銭にゆとりのある者の子弟を養子にして生活の安定をはかる、いわゆる養子名跡の紊乱《びんらん》は、はやい例では元禄末期ごろから現われていたが、その風潮は時代がくだるにつれて、半ば公然化した。すなわち微禄の家中の間には、金銭と引きかえに農家、町人から養子をいれて拝領の家屋敷をゆずり、自分は隠居して借家住まいをする、あるいは養子をとって姓と扶持をゆずり、自分は士籍を脱してあるいは農民となり、金貸しとなるということがはやり、三扶持方以下の暮らしが三手より豊かなように見えるのはなぜかと人人に不審がられるような時期があったのである。

藩のたびたびの禁令も効果がなく、微禄の者の養子工作が蔓延した結果、譜代の足軽は次第に減って、家中足軽の大半は、もと農民、町人身分の者という有様になった。当然士風も弛緩して、雪の町で橇《そり》を曳く下士が侍組の者と出会っても道をあけなかったり、また城下をすぱすぱと煙草を吸いながら歩く足軽を見かけたりするようになった。

士風の退廃は、これら三手組、三扶持方以下に限らず、侍組の一部にもおよんでいた。

藩が二百五十石未満の侍組と、宰配頭、三十人頭以外の三手組の馬飼育を免じ、所有する馬は売払い勝手次第としたのは宝暦三年であるが、馬のみならず、家に伝わる刀剣、槍などを質入れし、値打ちのある家財を売りに出す侍組の者が相ついだ。藩の半知借り上げと米札の下落、習慣化している日常の贅沢癖が、喰うには困らないはずだった侍組の暮らしを徐徐に侵蝕して、困窮に追い込んでいたのである。

元来が裕福な暮らしをしてきた階層だけに、貧に対する抵抗力は弱く、いったん困窮に襲われるとなすすべもないという状態になり、やがては「借りたるものを返さず、買いたる物も価を償わず、廉恥《れんち》を欠き信義を失い」と批判されるような状況さえ現われてくる。侍組の者で、城下を無刀、または脇差だけで歩き、町の銭湯に通うのを見るようになった。

宝暦十二年に、藩では侍組の勤め御免と知行地への引き籠りを認めたが、それは暮らしの困窮と山積する借金に身動き出来なくなった者の希望をいれたものだった。言うまでもなく侍組は、家中をたばねて重い職務を遂行する立場にある者たちである。その階層の何割かが、いまや暮らしの困窮のために、その任務を放棄するという事態にたちいたったのである。

一藩の模範となるべき家中の人人にしてこの退廃ぶりである。領内庶民の暮らしが、歯止めを失って放縦に流れるのも当然というべきだったかも知れない。農民のうちの利に聡《さと》い者は小商人をまねて金をため、町人は金を手にして武家の身分買いに狂奔し、封建の世の基礎であるべき身分制は、かつてないほどの乱れをみせはじめていた。

しかしその間にも、貧はしっかりと藩をつかまえていたのである。

七

上野東叡山の修理工事手伝いという国役を、百方からの借金と領内に課した人別銭で辛うじて乗り切った直後の宝暦四年十月二十八日に、米沢藩勘定頭七名は、十月から翌五年九月に至る一年間の収支の見通しと予想される不足額は二万五千六百両余に達する旨をまとめた文書を、連判で藩当局に提出した。

文書はこの不足見込み金を、いかにして工面すべきかと指示を仰いだ上で、つぎのような文言をつけ加えていた。「御家中は摺切れ果て、御借金は莫大に相成り、自他国ともにたびたびの御断りにて御自由罷りならず」金策に途がない。上方でも藩は評判が悪くて、今後とも借金が出来る見込みはなく、勘定頭としては意見を述べようもない、「まことに以て千万尽き果て、御役目相立ち申さざる義」である、というのが、勘定頭連名の見解であった。

そう言われても藩政の総指揮をとる奉行たちにも格別の名案があるわけはなく、甚だ無気力に翌年も家中から俸禄を半分借り上げることを指示したにとどまった。しかしこうした苦心のやりくりを、翌宝暦五年にはじまる大凶作が一挙に押し流して、藩を苦境の底に沈めてしまったことは先に記した。

困窮は国元だけでなく、江戸屋敷にも波及した。江戸詰の家中は数カ月も扶持米を貰えず、花のお江戸で飢餓に直面する有様となったので、麻布飯倉片町の中屋敷、芝白金の下屋敷に勤める者たちも言い合わせて桜田通りの上屋敷にあつまり、勘定頭棚橋文太郎を相手に強硬な掛け合いを行なった。

しかし扶持払い延期の件は上司も万策尽きて投げ出していたことなので、抗議をうけても急には対策もなく、結局は江戸家老をはじめ要職についている者がそれぞれに刀剣や衣服を質入れして米を買い、七、八カ月分の渡し切りとしてようやく騒ぎをしずめた。しかし扶持米は良質米を売って濡米《ぬれごめ》、品悪の米を買って渡し、渡し方も二、三日分、あるいは四、五日分という小刻みなものだったので、その間を喰いつなぐために下士の中には袋を下げて市中を物乞いして歩く者まで出た。

また藩に金を貸したものの、たびかさなる催促にもかかわらず、まったく返す様子がないので、登城途中の藩主を待ちうけて路上で駕籠訴を仕掛ける町人が現われた。そしてそれほどの勇気はない者は、貸し金の返済督促を本職の金貸しに依頼するので、頼まれた出家や盲人体の者たちが江戸屋敷の玄関先に現われ、あるいは鉦《かね》を鳴らして経を称え、あるいは三味線を鳴らして督促するという騒ぎになり、中に勤める家中は騒がしさと世間に対する恥辱感で仕事も手につかない思いをした。

藩が、幕府に献上する進物綿の包みの中から、ひそかに綿二、三枚を抜き取り、また本来二十匁の蠟燭を十八匁掛けにして献上したのが知られて、藩の信用を著しく落としたのもこのころである。

貧は人間の形や心のうちにだけ現われるのではなかった。建物も甚だしく傷んだ。米沢藩江戸屋敷は冒頭にも記したように屋根が壊れても修繕の費用を工面出来ず、大雨の日は屋内で傘をさして雨漏りをしのぐほどだったが、国元の米沢城も荒れた。草取り人夫を雇う金がないので城内は雑草がのび放題となり、石塁のきわから広場にかけて一尺五、六寸にもおよぶ草がぼうぼうと生い茂る様子は野原のようだった。日暮れに下城する家中が、城内に棲みつく狐狸が行手を横切るのを見かけることもあった。

建物も傷み、南大筒蔵の屋根が朽ちて落ちたが、修繕するゆとりもなくてそのままにしておくうちに、中に納めてある鉄砲は風雨にさらされて腐蝕した。

信義と廉恥心は地に落ち、謙信の家の武の道も廃《すた》れようとしているかのようだった。多数の人人の関心事は、いかにして安穏な一日を確保するかということにあって、その日暮らしの思想は、この時期、米沢藩上下をひろく覆い尽くそうとしていたのである。

一藩をささえるべき道義は権威を失いかけ、べつのものが権威あるもののごとく振舞いはじめていた。いうまでもなく金の力である。そうした風潮を、のちに藁科立遠《りゅうえん》は鷹山に提出した「管見談」（寛政三年版行）の中に、「当世の人、役儀を望むは忠義の志にあらずただ利を営まんがためなり。世の事に立身出世を望むも竈《かまど》をにぎはしたきが故なりといふあさましき言葉もあり。たただただほしきものは金銭にて、何をもつてわが家を利し、何をもつてわが身を利するかをねがつてそれのみに肝胆を砕き、利を見ては人の痛み、世の恵みを顧みず、乃至は厳刑を恐れざるに至れり。礼儀廉恥を絶たんとして士風の頽廃すでに極まれり」と記した。

極言に似ているけれども、立遠がこの献言書を鷹山に提出した寛政ごろには、蓄財の道に長《た》けた足軽の中には侍組級の暮らしをする者が現われたというから、立遠は真実見たままを記したとみるべきだろう。

しかしそのような風潮そのものは、寛政年代を待つまでもなく、宝暦初期には藩内いたるところに、顕著に見出されるに至った現象だった。金こそ力であり、極まる貧の前にはいかなる美徳も絵空ごと、無力と化すほかはないという現実を、米沢藩上下は身をもってしっかりと性根にきざみつけざるを得なかったのである。

天明七年という年は、直丸勝興改め上杉治憲、すなわちのちの鷹山が家督をついでから二十一年目にあたるが、この年に出た著者不明の「夢中の嘘言」は、藩政改革をすすめているもののまだみるべき成果を挙げ得ない藩主鷹山を批判して、「数十年家中の知行俸禄半ばこれを取り上げ、なかばは是家臣の身の肉を食したまひて寡君の身命をやしなひ、着料もまた臣下の衣服を剥ぎて寒暖をしのがれ候と同じことわりに候。そのほか諸職人日傭《ひよう》をも半ばあたへず、市店の物を買上げながらその価をも給はらざれば国君の身として食ひ逃げに類せることとなるべし。寡君文学に長じその徳を修め申され候とも、この衰世をすくひ申されず候ときはその用これ無く候」と述べた。

寡君はわが君というほどの謂《いい》である。享保以降の時代は、諸侯に君臨する幕府みずからをはじめとして、諸国諸藩が財政困難から藩経営に苦しんだ時期で、ことに寛延から宝暦にかけては藩の政策に反発する領民一揆が各地に多発した。貧に喘《あえ》いだのは米沢藩だけではない。しかし藩主に対して、家臣がここまで思い切った批判を放ったところに、米沢藩が陥った困窮の深刻さをみることは出来るだろう。観念論は必要がなく、実効を示せと迫っているのである。

森平右衛門利真は、こういう時期に登場した政治家だった。森は長く藩政に専権をふるった筆頭奉行清野秀祐が職をしりぞいた翌年の宝暦七年に、家中の知行地から上がる年貢を代官所の直取り立て制に改めた。それは従来家中が知行地から自分の取り分の年貢をきびしく取り立てるため、農民はその家中を後盾として、藩吏の命令を聞かない弊があったのに対処した措置である。

こうして藩政について介入をはじめたとき、森の身分は御小姓頭次席、侍組であったが、禄高はその以前の御側役当時に拝領した五十石のままだった。しかしこのときの森は、背後に藩主重定の威光を背負っていた。そして翌年、侍組編入にふさわしい二百石の加増をうけて、二百五十石小姓頭という身分を手に入れると、森利真は公然と、清野が去ったあとの藩政切り回しに乗り出したのである。

行き詰まり、疲弊の極に達したというべき藩経営に、執政たちにかわって乗り出した森には、当然ながらわが手で藩政を立て直してみせるという自負があったであろう。

森は、これまた当然ながら荒廃した郷村の活力回復に手をつけることからはじめた。家中知行地の年貢を代官所直取り立て制とした同じ年に、森は並行して郷村の取締り機構の整備を行なった。郡奉行を設置し、世襲制の五代官には世襲制の弊害をふせぐために副代官を配し、これらの機構全体を統轄するために新たに郡代所を設けた。一方領民側の村支配のために、これまでの肝《きも》煎《いり》の上に数カ村をまとめる大庄屋を置き、郷村支配の機能充実をはかった。

そして翌年の宝暦八年になると、家中には預札を発行して商人を問屋役元に指定し、ここで預札を割り引かせて金融の道をつける策を講じた。預札は米だけでなく、真綿、紅花、絹糸、繰綿の預札も発行し、指定の問屋役元で、それぞれの相場にしたがって売買させた。

こういう政策に刺戟されて農産物を基盤にする商いがにぎわって来ると、武家で商いをする者には役銀を課し、城下町商人や村村の富農には士分取り立てを代償にして御用金の取り立てを行なった。そしてもう一方で森は断固として家中借り上げを継続強化し、宝暦八年に藩主の出府費用を調達するつもりではじめた人別銭の徴収を、徴収期限が終ったその年の十月に、ふたたび三、四年は継続しなければならない旨を諭告した。

森のこうした施策は、瀕死の病人に劇薬を盛って蘇生をはかるような荒療治だったろう。苛酷というほどの重税を取り立てて喰いつないでいる間に、農商振興を中心に据えた施策が実効をあらわすことを期待しているのだが、すぐには予期したほどの効果は現われなかった。

森はまた郡代所に藩の財政顧問として城下商人中村荘兵衛、江戸商人野挽《のびき》甚兵衛を登用していた。また、町奉行所ほか領内六カ所に札箱（投書箱）を設置し、触れを回して一般から施政についての献策、意見をもとめたが、こちらもみるべきほどの成果は挙がらなかった。森は従来禁令下にあった鵜遣い、鮭狩りを勝手次第とし、またたとえ絹の晴着でも、持っている者は着てよいといった姑息な措置で、重税の埋め合わせをはからねばならなかった。

そして、施した起死回生の政策がまだこれといった実を結ぶにいたらない段階で、森利真は権力者の驕りに取り憑かれはじめていた。

もともと森は権勢欲の強い人物で、宝暦七年四月に家禄五十石の御小姓頭次席の身で、二ノ丸奉行から江戸家老に転じた平林正相《まさすけ》と家禄一千石の分領家竹俣当綱を減石、閉門に追いこんだことがある。そのころ森は君側にいて、藩政には無関心で能や乱舞に熱中している藩主重定に直言を試みようとする藩内の動きをことごとく阻止していた。それは自分を引き立ててくれる主君に対する忠義立てでもあったろうが、それればかりではなく、重定の寵をほしいままにしているおのが権勢をひとに誇示したい気持にも動かされていただろう。

こういう状況にいら立っていた当綱は、その春平林正相が江戸家老に任ぜられて上府する機会をとらえ、重定への諫言を頼んで短刀をひと振り贈った。聞きいれられないときは切腹の覚悟でと励ましたのである。平林は侍組の家柄で、当綱の槍術師範でもあった。

だが森は、国元と言わず江戸屋敷と言わず、要所要所に自分の目となり耳となる者を配しておくので、極秘にはこんだ諫言の一件はただちに江戸にいる森に知られた。森は重定に、当綱が平林に短刀を贈ったのは主君に対して含むところがあるのではないかと讒言《ざんげん》し、その結果竹俣当綱は千石の家禄から三百石を削られた上に閉門、平林正相は閉門、追いかけてその年の暮には隠居の処分をうけた。

こういう森を佞臣と呼ぶ者がいるのは当然だが、森はただ重定の袖の陰にかくれて媚びへつらいを専らにするだけの人間でもなかった。森は剛腹な男でもあった。

報復をおそれずに名門の当綱、平林を閉門処分に追いこんだ事件もそうだが、藩政切り回しに乗り出し、知行地の年貢徴収を藩主体に改めた一件、あるいは金融の道をつけるはずの預札の発行が、狙いどおりにいかず、米価をかなり下回る評価しか受けられなかった一件などは、あきらかに高禄の家中の反感を買うものだったにもかかわらず、森は意に介さなかった。こういう森の姿勢に、侍組、三手、三扶持以下という厳しい身分制にがんじがらめに囚われて、人材登用を阻んでいる藩の仕組み、とりわけ藩の指導層に対する反感を読みとることも可能だろうが、一方で森はやはり権勢欲の人であった。

　森の権勢欲は、宝暦十年にさらに百石の加増をうけて家禄三百五十石となり、役職は御小姓頭兼郡代所頭取にすすむにおよんで頂点をきわめたといってよかろう。森はこの時期、藩最高の権力者だった。二人半扶持三石取りの与板組から、藩政を牛耳る地位に経《へ》のぼったのである。驕るなというのは無理だったろう。

　森は豪奢な私宅を建設し、藩政の要所に憚《はばか》りなく一族の者を抜擢し、また森の側近政治を支える者たちを昇進させて、重い職につけた。森はその種の権力の行使を隠さなかった。平然と取りはこんだ。

　だがその間にも藩の疲弊はすすみ、一揆のような大きな騒動こそ起きなかったものの、宝暦五年の微禄の家中が主導した米屋、酒屋の打ちこわしに引きつづき、城下に放火とみられる火事が起きたり、歴歴の者が身分に似合わない風体で狼藉をはたらいたり、無頼の者が家に入りこんだりという不穏な空気が改まらなかった。藩は町奉行所を通して、昼夜を問わず城下に徒目付《かちめつけ》を巡回させる措置をとった。

米沢藩世子直丸、のちの上杉鷹山は、この騒然とした空気の中で上杉家の養子となり、桜田門前通りの上杉家上屋敷に入ったのである。

八

宝暦十三年一月のある夜、米沢藩江戸屋敷内の竹俣当綱の役宅（藩では小屋と称した）をしのびやかに三人の客がおとずれた。

しかし最後の一人が藩医の藁科松伯であることは、邸内を吹きわたる強い風の音も隠しようがないほどの咳の声で知れた。ほかの二人莅戸《のぞき》善政と木村高広は先にきていて、咳を聞きつけたらしく、松伯が役宅の玄関に入るとそろって迎えに出ていた。

松伯が中に入るのと入れ違いに、木村がすばやく土間におりて戸をしめた。そして小声で松伯に声をかけた。

「先生、だいじょうぶですか」

「なに、だいじょうぶだ。このぐらいの寒さはどうということはない」

木村は松伯のひどい咳のことを気遣って言ったのだが、松伯は単純に寒い邸内を歩いてきた身を案じたと思ったらしい。松伯が住む長屋からここまでは、かなりの距離がある。松伯が上にあがるのを見とどけてから、木村はしめ終った戸に顔を寄せて、いっとき外の気配を窺った。

国元はむろんのこと、この江戸屋敷も森派の巣窟だった。そして最近は菁莪社中と呼ばれている菁莪館の師弟が森の政策に批判的で、いまや改革派の集まりであることはむこうに知られている。木村は戸に横顔をつけるようにして気配を聞いたが、外は闇を吹きぬける風の音がするだけだった。木村は土間からあがって、前を行く二人を追った。

莅戸と木村が、斜めうしろからささえるように、痩身の松伯にぴったりと付き添って奥に行くと、部屋の前に当綱が立っていた。部屋の中の明かりを背負っているので、当綱の姿は黒い影が立っているように見えた。ほかに家の中に人の気配はなく、当綱は召使いを外に出したらしかった。

「ごくろうさまです。さあ、入って火桶にお寄りください」

当綱が言ったとき、松伯は深く腰を折って咳きはじめた。ながながと咳をした。急にあたたかい火気に触れて、喉が刺戟されたらしい。咳がやんでから、ようやく松伯は襟元をつくろって部屋に入った。

「こりゃあ、先生との密談は無理ですな」

みんながそれぞれに座をしめるのをたしかめてから、当綱が言った。このお咳では、ここに松伯先生ありとおひろめしているようなものだからと当綱はつけ加えたが、莅戸も木村もにこりともしなかった。言った当綱本人も、そのあと少し暗い顔をした。

誰も口には出さないが、この咳も松伯がかかえるただならない病患のあらわれではないかと、当綱らは恐れていた。だが不思議なことに、医師の松伯だけはそうは思わないらしく、まわりにはただの風邪だと言っていた。もっとも本心はわからない。

「江戸暮らしが長びいたせいか、風邪をひきやすくなり申した」

根っからの米沢者のようなことを言ったが、松伯はもともとは江戸生まれで、父の藁科周伯が御側医のつぎの待遇をうける外様法体《とざまほったい》の医師として米沢藩に抱えられて以来の家臣である。

言いながら松伯は細く長い指を火に近づけて押し揉んだ。その手も顔いろも青白かった。

「なに、季節があたたかくなれば、風邪などすぐになおります」

と松伯は言った。

そしてあたためた手を膝にもどすと、姿勢を正して、密談とは何かと言った。

「いま少し、お身体をあたためていただきたい」

と、当綱は松伯をいたわった。

「お屋敷の台所に無心して炭をわけてもらったので、今夜は火はふんだんにござる。冬の夜長、話はいそがずともよろしい」

「いや、ご家老」

松伯は鋭い目を当綱に据えながら言った。

「危険をかえりみずにこうしてわれらを小屋に呼びあつめたところをみると、お話は尋常のことではござりますまい。また、失礼ながらさきほどからお顔を拝見いたすところ、つねとは異るあわただしい色がござる。たかがそれがしの風邪ごときに斟酌《しんしゃく》はご無用、さっそくにお話を承りたい」

「さようか」

と当綱は言った。小首をかしげて少考してから、三人を見回した。

「では申そうか。九郎兵衛、丈八、おぬしらもこっちに寄ってくれ」

当綱が言うと、入口の襖ぎわに坐っていた莅戸と木村が無言で膝をすすめてきた。じつは、と当綱は言った。

「今日、さるご老中のお屋敷に呼ばれて行って参った」

言ったまま、当綱は言葉を切って三人をじっと見た。そのとき、顔半分を埋めた濃い髭がいきなりそよぎ立ったように見えたが、それは単に、言葉をさがしていっとき口ごもったせいだったらしい。

当綱は低く重苦しい声でつづけた。

「そのお方が申されるには、先日わが藩の内情を竜の口に箱訴した者がおるということだ」

「なんと」

松伯は目を光らせただけだったが、莅戸と木村はほとんど同時におどろきの声をあげた。一瞬にして、当綱の言葉が言っていることの重大さを理解したのである。

箱訴は、竜の口にある幕府評定所表門の前に出ている投書箱に訴状を入れることである。この投書箱は先先代の将軍吉宗のときに設けられたもので、目安（訴状）箱とも言った。

この箱に投じる訴状の中身には制限があって、一、御仕置の儀につき御為に成るべき事、一、諸役人をはじめ、私曲、非分これある事、一、訴訟これある時、役人詮議をとげ、永永すておくにおいては、直訴すべき旨、相断り候上出すべき事の三つに決められ、このとおりの文言が高札で布達されていた。そして投書が許されるのは武士以外の庶民だった。

目安箱は正午の太鼓を合図に徒目付が門内にはこび入れ、鍵がかかっている箱をそのまま目付に渡す。目付はこれを江戸城内に持参してそのあと御用部屋坊主の手から月番老中、御側御用取次という順序を経て、執務中の将軍の前まではこぶ。すると将軍は、持参の巾着から鍵をとり出して目安箱をあけ、じかに訴状に目を通すのである。

御仕置きの儀とはいうまでもなく政治のことで、箱訴の重点は、政治について天下のためになる意見があれば述べよ、また諸役人に不正、汚職の行為があれば訴え出よといった布告の一、二条におかれている。三番目は方法についての注意書で、現在訴訟中の事柄を直訴する場合の手つづきについて指示したものである。

この高札を見て、幕府老中以下諸役人の不正、あるいは藩政の乱れなどを箱訴してくる者は少なくなかったが、中身はむろん全部が全部正論というわけではなく、見当違いの政治論議や手前勝手な思い込み、誤解による不正糾弾なども多くふくまれていた。しかし中には読み捨てに出来ない真実を述べた訴状もあって、訴えの出た遠国の藩に将軍がひそかに御庭番を派遣して、内情をさぐるということもなくはなかった。

「わしを呼んだご老中の話によると、同じ趣旨のことを記した箱訴が、じつは前年にもあったそうだ。しかし前回は訴状はお取り上げがなく焼き捨てにされたが、このたびは二度目でもあり、しかも再度同じことを訴え出てきたということで、幕閣でも評判になったらしい。ために今回は、焼き捨てになるかどうかはわからぬというそのお方の話であった」

「訴状の中身は？」

松伯がたずねると、当綱はうなずいた。

「家中の禄米借り上げの強化、一藩を隙間なく覆う人別銭徴収の負担、家中、領民を問わず、一部につねに飢餓のおそれが絶えず、為政者は奢《おご》りにふけっている、といったような中身だったと申す」

三人は黙然と当綱を見、当綱は低い声に力をこめた。

「森にいかなる経綸があるかは知らんが、外からみればこれはまぎれもない苛政、または暴政とうつるはずだ」

「訴え出たのは、はたして領民でしょうか」

と木村が言った。当綱は口をつぐんだが、すぐに言った。

「箱訴は武士の訴えを禁じておる。その上、訴状には居所および名前を明記せねば受理されぬ決まりゆえ、米沢領の者に間違いはなかろう」

「あるいは家中士分の者が、親しい在の者に言いふくめて書かせた、とも考えられます」

松伯をのぞく三人の中では一番齢の若い莅戸が、慎重な口ぶりで意見を言った。

「大いにあり得る」

当綱は莅戸に顔をむけた。

「藩のいまの有様は、なにが起きても不思議はないところにきておる」

「いそがねばなりませんな」

松伯が平静な声で言ったが、急に失礼と言って口に懐紙をあてると、またはげしく咳きこんだ。ほかの三人は、松伯の咳がおさまるのを黙然と待った。咳がようやくおさまり、激高したように赤くなった顔を上げた松伯が、言葉をつづけた。

「かりに領内に御庭番が入りこむなどということになれば、藩の存続にかかわる大事も招きかねません。森の排除をいそぐべきです。幕閣に、わが藩が自力で建て直しをはかる力を持っていることを示さねばなりません」

「いよいよその時がきたか」

と当綱は言った。さすがにその顔が緊張にこわばったように見えた。

そういう当綱を凝視しながら、松伯がしかしながらと言った。

「森の処分は慎重になさるがよろしいかも知れません」

「慎重に？」

当綱は訝《いぶか》しそうに松伯を見た。

「どういうことでござろうか。森は、こうしてわれらが談合するのも密密にはこばねばならんほど、一藩をおのが悪しき支配下におさめてしまった男、やつをのぞくのに手段を問う必要はあるまいと存ずる。先生も、以前はさように申されていたのではありませんかな」

「今度は箱訴の一件がござる」

と松伯は言った。

「訴状がお取り上げになるか、焼き捨てになるかはまだ先のこととしても、評判になったからには森の処分の次第ということに幕閣も無関心ではあられまい。どう始末をつけるかは、ただに藩の内内の問題とは申せなくなったようでもある」

「……」

「それに、森はなんと申しても殿がもっとも頼りにしておられる寵臣、始末のつけようによっては、殿を納得させるどころか重き処分を被ることにもなりかねません」

「そのことについては心配ご無用。千坂、色部、芋川と固く談合済みでござる。いかような始末に終るにせよ、藩に重き者たちの一致した申し合わせによるものとして、殿を押し切ってしまうことに相成る。もっとも……」

当綱はわずかにためらうような声を出した。

「これについては国元に下って千坂らと顔を合わせる席で、再度、一歩もひくまいと申し合わせる必要はあろうかと思う」

「森につきつける詰問の条条はもうお決まりですかな」

「これも千坂を中心に国元の同志が案を練っておるはずで、先般千坂からとどいた密書によると、森の悪政の数数は十七カ条にもおよぶと申しておる」

「さてそれでは、はじめにそれをつきつけて森におだやかに退隠をすすめてはいかがでしょうか。森がこれを固く拒絶したときに、はじめて誅殺という最後の手段に訴えるのが至当の処置かと思われる」

「先生は森をご存じあられない」

当綱はまるい大きな目で、松伯をじっと見た。

「あれは傲慢な男ですぞ。神かけて申してもよいが、おだやかに退隠を受け入れるようなやわな人間ではござらん。藩の重臣などというものは、屁とも思っておらんのです」

「ならば、いたしかたなし」

松伯は言ってから小さな咳をし、その咳がさっきのような激越な発作になるのかどうかと、しばらく行方を見さだめるような表情をしてからしかしと言葉をつづけた。

「その際には、森に対して私怨をはらしたとまわりに思われることのなきよう、言語、行ないにことに心を配られよ」

「いやいや、先生」

当綱は髭に覆われた顔面をぴくぴくと動かした。松伯が、六年ほど前に森が当綱の禄を削り、閉門に追いこんだ一件を気遣っているのだとすぐにわかった。髭づらが動いたのは、当綱が微笑したのである。

「あれはもはや過ぎた話でござる。第一このとおり閉門は解かれ、一昨年には家禄も旧にもどり申した。ご教訓は肝に銘じておきますが、それがし藩の大事に私情をはさみはいたさぬ。ご心配なされますな」

当綱がきっぱりと言ったとき、突然に役宅の戸が棒かなにかで叩かれたような、鋭い音を立てた。ごめんと言って、木村がすばやく立つと部屋を出ていった。物音は一度だけで、すぐに木村が表の戸をあける音がした。木村はそのまま外の様子を窺っているらしく、入口の方からさむざむとした風の音が聞こえてくる。思い出したように、また松伯が咳きはじめた。

間もなく木村はもどってきたが、松伯がまた激しく咳きこんでいるのを見ると、すばやく襖をしめて坐った。

「別条ござりません。風で飛んだ枯枝が戸にあたった音でした」

報告してから、木村は気づかわしげな目で松伯を見ながらつけ加えた。

「さっきより、また一段と冷えて参ったようでござります。外は雪でも降り出しそうな気配でした」

「江戸の冬の寒さは、米沢より身にこたえ申す」

口少なに坐っていた笹戸も、同調するように言った。当綱はじろりと二人を見てから制するように軽く両手のひらを上げた。

「相わかった。話をいそごう」

「で、決行はいつになされますか」

咳のおさまった松伯が、いまの発作とはかかわりがない人のような静かな声で問いかけた。すぐに当綱が答えた。

「殿が当屋敷におられるうちに、始末をつけねばなりませんな」

「そのとおりです」

松伯が強い口調で言った。

「殿ご帰国のあとでは、森の排除はむつかしくなりましょう。雪のある間が勝負どきと思われます。それがしの見るところ、森の処分は早ければ早いほどよいという情勢になって参りました」

「しかし国元の千坂らはこのたびの箱訴の一件をまだ知らぬ。ゆえにまずこの件を知らせてことの重大さを認識せしめ、森の処分を急ぐべきことを納得させた上で、早急の準備をたのまねばならぬ」

「……………」

「その上でそれがしが国元に下り、森に防禦のひまをあたえずに一刀両断に事を処理するという形にしたい」

「時期は」

「二月のはじめ」

と当綱は小声で言った。そして松伯と莅戸、木村と顔を見合わせた。沈着な莅戸は表情を変えなかったが、松伯と木村は興奮を顔に出した。

「ついに、時いたるですかな」

松伯が感激の声を洩らすと、木村が追っかけて言った。

「ご家老に先立つ国元への使者は、それがしがつかまつります」

「丈八はだめだ。こちらでもむこうでも顔を知られすぎておる」

「やつらに覚られぬよう、ひそかにやります」

「いや、無理だ」

と当綱は言った。

当綱が手を回して木村を江戸に呼んだとき、木村はまだ部屋住みで無給の右筆《ゆうひつ》だったが、江戸に来てふた月もたたないその年の暮に父親が病死して、正式に家督を継いだ。二年前のことである。家は五十騎組で、木村はいまは家禄二十五石の右筆として屋敷に勤務している。顔も知られているし、以前のようには自由がきかない。わるいことに木村は、以前無給の右筆として国元の城にも詰めているので、知人が多かった。

それにだ、と当綱はつけ加えた。

「丈八が忍んで国元に帰ったことが知れると、あとでわしが当屋敷を抜け出すときは、森派の監視が厳重をきわめるだろう」

「ほかに手段がござりましょうか」

四人のなかで一番声が低い莅戸がそう言った。莅戸は馬廻組の家柄で、十七歳のときに病弱の父に代って祖父政共から百八十石の家を継いだ。齢は正月をむかえて二十九歳、松伯より二つ齢上である。

性格だけでなく、そういう経歴のせいもあってか、莅戸は沈着な物言いが目立つ人間だった。ある、と当綱は言った。

「さる出入りの商人を使う。これまでもこの種の使いを頼んでいる男だから、心配はいらぬ」

「洩れるおそれはありませんか」

と丈八が言った。

「それはない。打ち明けると、彼もわが藩に多額の金子を貸しつけておる金主の一人でな、じつにくわしくわが藩の内情に通じておる。森に合力しても貸金がもどらぬことは百も承知しておるので、先方に洩らす気遣いはない」

当綱の言葉で空気が少しほぐれて、木村がにやりと笑ったがすぐに顔をひきしめた。使いには主人自身でなくしっかりした番頭をやるようだが、国元にはしじゅう江戸商人が出入りしているので、森の一党にあやしまれる心配はまずない、と当綱はつけ加えた。

密談がそこでほぼ終ったようだった。ところで、おさしつかえなくばお聞かせねがいたいのだが、と莅戸が言った。莅戸は慎重なだけでなく、疑問があれば時に鋭くつっこむことも知っている男だった。箱訴のことでござる、と莅戸は言った。

「お洩らしくだされたご老中とは、どなたさまのことでしょうか」

「他言せぬと誓ってきたのでな」

当綱が当惑した顔で莅戸を見た。

「同志といえども、そのお方の名前は申しにくい」

ただし一件が首尾よく片づけば、そのときには打ち明けよう。それまではなにはともあれ、事は密密にはこばねばならん、と当綱は慎重な口ぶりで言った。

そのとき強い風が当綱の役宅をつつみ、家の屋根も壁もみしみしと鳴った。四人は口をつぐんでその風の音を聞いた。

九

その年の二月一日の夜、竹俣当綱はひそかに外桜田御堀通りの藩江戸屋敷を出ると、かねて用意しておいた市中の隠れ家で旅装に着換えて江戸を立った。懐中にはお手盛りの関口仲蔵名義の関所手形と、出発にあたって松伯、莅戸、木村の三人が当綱にあてた連名の血判書、松伯の誓詞と壮行をはげます「従軍行」と題する五言律詩などをおさめていた。

血判書は、松伯、莅戸、木村の三名は、今度の森排斥の企てに同意するものであること、森が万一（制裁をのがれて）出府してきたときは、われわれ三名が討ち留めることといった内容のもので、松伯の誓詞は、今度の計画について一切他言しないことを誓っていた。

こうした誓詞や血判書からは、三人の決死の気持が伝わってきて、わが郷里といいながら敵地のようでもある場所に乗り込む当綱を力づけた。もちろん首尾よく米沢城下に入ることが出来れば、そこには千坂、色部、芋川といった同心の重臣たちがいる。だが彼らの同意には、微妙な利害の感情がからむかも知れなかった。

森を排除するのは藩のためである。と同時に森の圧迫をうけ逼塞《ひっそく》を余儀なくされている重臣層のためでもある。森をのぞけば、その圧力から解き放たれた重臣層は、以前のようにのびのびと藩政に手腕をふるうことが出来る、と彼らは考えていた。当綱がそう焚きつけた面もある。

しかしそのために、無心の同盟というわけにはいかず、それぞれにわが家、わが一族、わが地位についての思惑あっての同盟とも言えた。結束は鉄のようではない。その結束を固めるために、森をのぞく前も、のぞいたあとも何度か話し合いを持たねばならないだろう。

それにくらべると、江戸に残った三人は生死を誓いあった同志である。懐にあるのは、当綱に対する彼らの無私の支援だった。豪毅な当綱といえども、胸がぬくもる思いを禁じ得ない。

当綱はひたすらに道をいそいだ。とはいうもののその間、人に目立たぬように心配りもした。風のようにいそいでどこへ行く、とあやしまれてはならない。

またときどきそれとなく道の背後をたしかめ、森派の追跡の有無をさぐったがその気配はなく、前日に旧領の山中の村李平《すももだいら》までのぼっておいたので、当綱は翌日二月七日の朝には国境の産《うぶ》ヶ沢《さわ》と板谷番所を通り過ぎて昼近くには板谷峠をのぼり切ることが出来た。板谷峠は旧領信夫郡と米沢領をむすぶ国境の通路で、参勤の行列もこの峠を通る交通の要衝である。

奥州街道を北にむかって歩いている間に、一日だけ雪まじりの強風に悩まされたものの、そのほかは大方春のようにあたたかい日にめぐまれた。街道の左右の田圃では、ところどころに野を焼くけむりが立ちのぼり、遠い村落には梅の花が咲いているのが見えた。そういう日は、歩いているうちに日差しに羅紗合羽を着た肩があたたまって汗ばむほどだった。

だが福島で奥州街道とわかれて福島街道に入り、信夫郡庭坂から山道にかかると、あたりは次第に冬景色に変った。一夜の泊りをもとめた李平の集落も番所がある板谷村もまだ雪の谷底にあった。板谷峠は高さ二百五十丈（約七百五十メートル）ほどの峠だが、東西につらなる吾妻連峰のくぼみのひとつであるそこにも、吹きだまりのような雪が厚くつもり、木木の枝の間からふりそそぐ日の光も、平地とは異ってにわかに冷えてきたようにも思われた。前後には人影もなく、当綱が足をすべらせて雪の山道にころぶと、疎林の中で鳴いていた鳥が、物音を警戒したか、鋭く鳴きかわして飛び去った。

——さて……。

起き上がって野袴と合羽の雪をはらい、荒い息を静めながら、当綱は目の前にひろがる山山の重なりを眺めた。山はある場所では当綱の視界をさえぎっているが、ある場所では雪を覆いかくす常緑樹の森や日に輝く雪の山肌をあらわに見せている落葉の林をつらねながら、あきらかに城下のある盆地の方面に傾斜して行く景色を見せている。

だが起伏のはげしい山道は、まだ終ったわけではなく、城下にたどりつくための最後の関門ともいうべき板谷番所を通過したあとも、いま立っている峠から一度深い谷底までくだり、そこからもう一度板谷峠よりはやや低い峠をのぼり切らなければならない。のぼり切ったその先にある大沢村に到って、山道はようやく半ばである。

しかしいま、当綱が峠をのぼった疲労をいやしながら考えているのは、板谷山道と呼ばれるこの先の道の険しさではなかった。ここまできて板谷番所に対する懸念が、にわかに大きくふくらむのを感じたのである。

板谷番所は慶長三年に仙台の伊達の侵攻にそなえて設けた番所で、建物を板谷御殿と呼び、指揮者を板谷御殿将と物物しく呼ぶのは、伊達との戦闘があったあとで、上杉の家臣奥山大膳が足軽五十名をひきいて守備についた名残りである。

以来板谷御殿将の役目は、家禄二百石（米沢藩半知行後は百石）の奥山家の世襲となったが、世襲は四代忠右衛門利俊で終り、そのあとは三手組からしかるべき者が御殿将として赴任し、いまに至っていた。人数は指揮をとる御殿将のほかに、三扶持方の者二名、地元取り立ての郷士三名の六名で警衛にあたっているはずである。

国境の産ヶ沢の見張り所にいたのはそういう郷士のひとりだろうが、これは問題はない。懸念は番所にあった。おれが森なら、板谷番所に何人かは自分の息のかかった者を送りこんでおくところだ、と当綱は思っていた。

いま竹俣当綱は、板谷御殿といういかめしい名で呼ばれる番所で済ました入国の手続きを思い返している。

板谷御殿は、のちに板谷山道の通行がにぎやかになると村は宿場に変り、御殿は宿場の本陣を兼ねるようになるのだが、この当時はまだ家数五十戸に満たない板谷の集落の端に設けられた構えの大きい出入り改め番所にすぎない。ここでの役人の業務は、通り手形を改めて不審がなければ入国許可の入り判をつくって渡す、それだけのものである。

番所で、当綱は持参した関口仲蔵名義の通り手形を出した。かりに番所でその名前に不審を持ったとしても、強引に関口仲蔵で押し通すつもりだった。だが番所の手続きは、当綱のそういう緊張感をはぐらかすように、すこぶるなめらかに終った。いまはそのなめらかさが気になっていた。

通り手形を改め、入り判をくれたのは三扶持方の役人だった。そして関口仲蔵も三扶持方の猪苗代組に実在する藩士である。改め役ははたして関口と面識のない者だったろうか。そしてまた、その場に御殿将の藩士が立ち会っていたかどうかを、つとめて顔を上げないようにしていた当綱は確かめていないが、もし立ち会っていたとすれば、面《おもて》を伏せようとどうしようと、御殿将が国境を越えてきた髭づらの男を江戸家老の竹俣当綱だと見破るのはいと易いことだったはずである。

江戸家老として赴任する前のふた月ほどの間、当綱は会談所奉行として城中に詰めたので、城勤めの三手組以上の藩士にはひろく顔を知られていると思わねばならない。そういうことにも当綱の気持は鋭くとがった。まして板谷番所は四境に設けた番所の中で、藩がもっとも重要視している番所である。御殿将の下の事務方に足軽を用いず、微禄ながら三扶持方の藩士を起用しているのもそのためと言えた。

――まだ、油断は出来ぬ。

追い越して城下に走り、当綱の入国を森に通報する者がいれば、城下に入る前に手ごわい妨害に出合うことになるかも知れなかった。そうなればわが身の危難はもちろんのこと、森排除の計画はいっぺんにつぶれてしまう、と当綱は思った。

もしそれらしき人間を見かけたときは、うむを言わせず斬って捨てねばなるまい、と思うものの、通報する者が板谷御殿に勤めているとは限らない。通報に走るのは板谷の集落の男たちかも知れず、ことはなかなか厄介に思えた。

当綱は振りむいて番所がある谷の方を見た。樹皮も枝もやや赤味を帯びて見える雑木の疎林の間を、傾斜の急な雪の道が少しずつ左に縒れながら下り、その先は雑木林の陰に消えている。雪の道に、人の姿は見あたらなかった。時刻は昼ごろになったとみえて、吾妻の山並みの上に凝然とうかんでいる日の位置はほぼ真南だった。やわらかいその日差しが、のぼってきた峠の斜面とかたわらの雑木林をくまなく照らし、木木は雪の上に濃い影を投げかけている。雑木の根元の雪は一様にくぼんでいた。仔細に見れば枝頭にはもう新葉のふくらみを見ることが出来るだろう。山山をわたるかすかな風はつめたかったが、当綱のまわりに見えるのは疑いもない早春の景色だった。

斜面の道には依然として人影は見えなかった。思い過ごしだったかな、と当綱は思った。のどかな景色がそう思わせたようでもある。番所に森の指令などとどいてはおらず、詰めている藩士たちは、関口仲蔵の顔も竹俣当綱の顔も知らなかったという可能性がないわけではない。

だが、そう思った直後に強い警戒心がもどってきた。三人の藩士と地元採用の郷士、あれだけの人数が詰めていて江戸家老の顔を一人も知らないということがあり得ようか。

——なにはともあれ……。

峠の上でのんびりしている場合ではない、と当綱は自分を戒めた。そのときになって腹がすいていることに気づいたが、当綱は歩き出した。道はすぐに険しい下りになった。

降り立った深い谷を横切り、もう一度むかい側のやはり勾配の急な坂道をのぼる。そして台地にたどりついて大沢の集落が見えるところまできて、当綱はようやく疲れた足をとめた。

――くたびっちゃ（疲れた）。

当綱は喘ぐ息をととのえた。前方に見える集落に目を据えながら、しばらく思案したが、結局村には立ち寄らないことに決めて、道をそれるとそばの木立に入った。

木立は雑木の間に幹の太い松や杉がまじり、身を隠すのにつごうがよかった。当綱は街道を見張ることが出来る位置にある杉の木の下に行き、雪を踏みかためた。つぎに背負っていた打飼《うちが》いをおろすと握り飯を取り出した。握り飯は、昨夜泊った李平の民家で江戸からはこんできた米を出してつくってもらったものだが、残った米は世話になったお礼の金にそえてその家に残した。そのときの大いに喜んだ家の主人の顔を思い出しながら、当綱は立ったまま握り飯をむさぼり喰った。その合間に雪をすくって口にほうりこみ、渇きを癒した。一杯の白湯がほしい気分だったが、大沢の集落に立ち寄る気持はもう失せていた。どこに森の手が回っているかわからず、用心するに越したことはないと思ったのである。

雑木林にひそんでいる間に、大沢の方からきて峠にむかう二組の男たちが通りすぎて行った。一組は二人連れ、もう一組は五人連れの旅支度の男たちは、いずれも屈強な身体つきをした壮年で、誰はばかることもない米沢弁の大声で話し合うのに夢中で、そばの林にいる当綱には気づかずに街道を遠ざかって行った。しかしその間も峠からくる者はいなかった。当綱は打飼いの口をしめ、軽くなった荷袋を背負うと道にもどった。

そのとき当綱は、上空に何か光るものがあるような気がして足をとめると空をふりあおいだ。するとと真南からわずかに西に片寄るあたりの高い空に、大日嶽がそびえているのが見えた。光はそこからきていた。大日嶽は、このあたりでもっとも目立つ吾妻山中の高峰である。日はいま南から西に回っているらしく、姿は山に隠れて見えなかったが、背後からさしかける光が大日嶽をてらしているのだろう。そのために山の北側は青ざめた雪の斜面を見せているのに、東側の稜線だけが金色の糸のように光っているのだった。

神秘的な光景に見えた。当綱の胸に、ふと神仏の加護という考えがうかんだ。幸先よしとも思った。だがそれは一瞬のことで、考えはすぐに現実にもどった。いったん西に回った日は、一目散に落日をいそぐだろう。明るいうちに山を降りねばならぬ。

——しかし、道の半ばはきた。

と当綱は思った。板谷番所から大沢の集落まで山中二里、さらに大沢から麓の関根村まで二里と言われている。ここまで来れば、どうにか日が落ち切る前に関根に降りることが出来そうだった。そして関根まで行けば、あとは城下まで平地で一里強の道程である。

片膝をついて草鞋の雪をはらい、紐をしめ直すと、当綱は立ち上がった。もう一度うしろの道を一瞥してから歩き出した。握り飯を喰ったので腹に力がもどっていた。

だがその日、竹俣当綱が米沢城下に着いたのは深夜になった。関根を立つころには空模様が急変して、暗い夜空から雪が降ってきた。突きあたりに千坂屋敷がある五十騎町の通りにきたとき、当綱の笠も合羽も雪をかぶって真白になっていた。

十

千坂屋敷の家士に奥の部屋に案内されると、そこには三人の男がいて、そのうちの一人がさっそくにいらだちが混じる声をかけてきた。国家老の芋川縫殿正令《ぬいまさのり》である。

「日暮れに着くという便りだったが、おそかったではないか」

「お待たせして申しわけなかった」

当綱はあやまったが、これには仔細があると言った。

「たしかに日暮れ前に関根まで降りたのだが、村はずれで原方の者と思われる男二人を見かけての。先方もわしを見ておったので、自重して村に引き返した。そのまま暗くなるまで農家で休息しておったのだ」

「先方は竹俣とわかったかの」

屋敷の主人で、やはり国家老をつとめる千坂高敦がたずねた。

「さて、それはいかがでしょうか。しかしせっかく名を偽って旅してきたのが、ここで城下入りが露顕しては用心も水の泡と考えた」

「しかしその者らが森に通報するとは限るまい」

と芋川が言った。当綱は芋川を見た。

「さようだが、用心をしたということでござる」

「いや、竹俣の配慮はもっとも。ごくろうであった」

千坂は当綱をねぎらい、腹はすいていないかと聞いた。

「夜食は関根でざっと食して参った。出来れば白湯を一杯いただきたい」

では、すぐにはじめていただこうかと当綱は言った。家士を呼んで白湯を言いつけた千坂は、座にもどると、それまで無言で坐っていた江戸家老の色部照長に、少しこちらに寄ってもらおうかと言った。四人の男たちは、燭台の光の下に額をあつめるように身体を寄せた。

集まっている四人ともに侍組分領家に属する大身の当主である。色部の知行は千六百六十六石、寛文の半知以前は三千三百石を越える知行取りだった。芋川はいまは九百八十石だが、会津時代は、白川小峰の城を預かって六千石の知行をうけていた家柄である。当綱の知行は一千石、そして千坂家の知行は寛文以後千五百六十五石である。しかしいま四人があつまっている席で、ごく自然に千坂がまとめ役を買って出ているのは、屋敷の亭主というだけでなく、暗黙のうちに、みとめられている家格にふさわしい役割を果しているのだった。

色部の家系は、下越小泉庄に早くから秩父平氏畠山の一族である色部氏が勢威を張り、当地の名家とされていたという説があり、また同じ秩父平氏の本荘泰長が鎌倉公方成氏に色部庄に封じられたのがはじまりで、泰長が一族の家祖であるとも言われる。いずれにしても、永正年間に修理進勝長が越後守護上杉房能に附属するものの、色部一族は下越に隠然たる勢力を持つ土豪だった。

また当綱の家は佐々木盛綱の裔である加地新右衛門尉佐々木実泰の四男、筑後守信綱が竹俣庄地頭職となったのがはじまりと言われる。城は加治の東南虎丸村にあった。その子孫竹俣三河守慶綱は、侵入する織田勢を上杉が迎え撃った天正十年の戦のとき、後世に名を残した魚津城の籠城戦で戦死し、嗣子がいなかったのでいったんは血筋が絶えた。しかし景勝の命令で大浦の城主長尾景久が竹俣家をつぎ、竹俣利綱となってその家がいまにつづいていると家譜は記している。

色部、竹俣にはつぎの共通点があるだろう。ともに下越に盤踞《ばんきょ》した土豪で、謙信の父長尾為景が越後守護上杉房能をほろぼし、越後の制覇にのり出したときは、最後まで屈せずに為景と抗争をくり返した。のちに上杉家に附属したものの両家は国衆と呼ばれる一群の武将に加えられ、外様の扱いだった。

また芋川家は、元来が出羽の最上義光に仕えた武将で、芋川正章のときに最上家を去って甲州武田家に仕え、その子正親がさらに越後に入って謙信に仕えた。天正十年の織田勢との戦いでは、正親は飯山口の大将として、織田方の稲葉彦六がひきいる軍と激闘をくりひろげた。しかし芋川も経歴にみるように明白な外様である。以上の三家にくらべると、千坂はひと味違った経緯を持つ家系の家だった。越後上杉と呼ばれる守護上杉氏には、守護職を補佐する四老と呼ばれる四人の家老がいて、それがのちに上杉にとってかわる守護代の長尾家を筆頭にした、千坂、斎藤、石川の四家である。

謙信の時代になって千坂景親が上杉家に臣従するが、蒲原郡村松と護摩堂山に一族の城があり、上杉家ではやはり国衆として待遇された。しかし千坂家が古くは越後上杉の家老の一人として長尾家と同席した事実は、藩祖謙信が上杉憲政から家督と関東管領の職を譲りうけたことにもみられるように、上杉家が筋目、格式というものを特に重んじる家であるために、上杉家の中でそれなりの敬意をもって遇されてきたといってもよかろう。長い年月の間に、その意識は人人の心の深部に定着し、千坂高敦その人は広居家から千坂をついだ人物なのに、むかしから千坂家の人間であったように、ゆったりとその家の役目をこなしているのも、やはりそういう家柄意識のせいであるとも言えた。

森利真のような家格の低い人間が、重い家柄の者をさしおいて藩政を動かしているという事実は、あるいは述べたような格式の権威がゆらぎはじめている兆候とみるべきかも知れないのだが、重臣たちはそのことを認めたがらなかった。森のやることを、藩主の威を着た成り上がり者のただの越権行為だと思っていた。当綱からいえば、そのあたりにいま額をあつめている三人を、森排斥の謀議にひきこむ余地があったといえる。

当綱がもらった白湯を飲みおわると、千坂は引きよせた手文庫から巻紙に記した書付けを出し、まずこれに目を通してもらおうかと言って当綱にわたした。森に読みきかせる弾劾状だった。中身は当綱が出した素案をさらに国元で練ったものである。目を走らせてから、当綱は一礼して弾劾状を千坂に返した。

「よく書けておりますな。ごくろうでござった」

当綱が返した書付けを、千坂は慎重な手つきで手文庫にもどした。そして咳ばらいをして切り出した。

「では竹俣も無事に到着したので、森をのぞく最後の段取りを詰めるといたそうか」

「そのまえに、申したいことがござる」

急便で知らせたように、どのような形で森を排除するかは幕閣も注目するところとなったと思わねばならぬ。そこで呼びつけていきなり討ち果すというのではなく、森を説得して森と彼の与党を穏やかに藩政からしりぞかせる、といった手順を踏むことも必要ではないかという意見がある、と当綱は言った。

「それがし賛成はいたさなんだが、帰国のみちみち、これも聞くべき意見かと思いながら参ったような次第。ご審議いただきたい」

「その意見の主は松伯先生らしいの」

それまでずっと沈黙していた色部照長が言った。ただし意見ではなかった。色部は口辺にかすかな笑いをうかべている。

「松伯先生は見かけとは相違して、勇猛果敢な気性のご仁とみておったが、案外な意見だ」

「説得などは論外の沙汰」

芋川がきっぱりと言った。

「森の悪政は明明白白の事実だ。討ち果すのに誰に遠慮もいらぬ」

「しかし、幕閣に藩内争闘の印象をあたえるのは避けねばならん」

と当綱は言った。

「説得し、聞かれねばその場で討ちとるという手順ではいかがか」

「説得は迂遠、腹切らせるのがよい」

色部がはじめて意見をのべた。冷静な声だった。

「悪政の責めを負って自裁したとすれば、外に対する大義名分はそれでととのう。また、森があくまで自裁を拒んだときは、かねての申し合わせどおり、力をあわせて討ちとればよい」

「しかし、無駄ではないのか」

芋川が疑うような目で色部を見た。

「森は、われらが腹を切れと迫ったぐらいで恐れいるような男ではないぞ。きどえな（あくの強い）人間だ」

「いや」

色部は三人の顔をゆっくり見回してから、少し声をひそめた。

「さっきの弾劾状、あれをつきつけて腹を切らせよというのは殿のご命令だと迫るのだ」

「しかしそれでは、殿の御名《おんな》を偽り借りるようでおそれ多い」

芋川がただちに反駁したあと、四人は沈黙した。沈黙したが、色部が持ち出した切腹という言葉は消えたわけではなかった。かえって少しずつふくらみを増して部屋の中に居据わる気配がした。

やがて千坂が、いずれにしてもと言った。

「いずれにしても藩のためにすることだ。われらの私利私欲のために殿の名を持ちだすわけではない。色部が言うような策も、この場合のやむを得ぬ一手段ではあろう」

「では、それがしが殿のご命令をいただいて帰国したという形にいたそうか」

と当綱が言った。当綱の言葉に三人がうなずいて、森の処分の手順が決まった。

「日時は？」

当綱が聞くと、千坂が持ちまえの落ちついた口調で答えた。

「明日夜の五ッ刻（午後八時）と申し合わせたが、いかがか」

「異存はござらぬ。で、場所は？」

「城内二ノ丸の会談所。われらは暮れ六ッ（午後六時）過ぎに、ぼちぼちとそこで落ち合うこといたそう。あまり早くても人目につく」

会談所は奉行詰の間である。部屋はひろく天井が高く、宿直《とのい》の部屋は遠い。森を討ちとるにはいい場所をえらんだ、と当綱が思っていると芋川がところでと言った。

「明日四人の名で呼び出しをかけるとして、はたして素直に森がくるかどうかはわからんぞ」

芋川はにらむように三人に視線を配った。

「不審に思って黙殺することも考えられる。そのときはどうするな？」

「いや、森はくるだろう」

と当綱は言った。

「たとえ不審を抱いたとしても、森はそれで逃げかくれするような男ではない。かの男にはかの男の、門地門閥なにするものぞという気概がある」

「ふむ」

色部がふくみ笑いを洩らした。

「それが、やつの命取りになるか」

「ただし森も空手ではなく、なにがしかの用意をしてくることは考えねばならん」

「たとえば？」

芋川が鋭い目を当綱にむけた。

「腕の立つ家士を供に連れてくるといったようなことでござる。いったん森の始末にかかれば断じて討ち洩らしてはならず、このあたりにも万全の手配が必要かと思われる」

千坂ら三人は顔を見合わせた。その三人を見ながら当綱は言葉をつづけた。

「こういうこまかなことについては、少少考えもござるゆえ、それがしにおまかせいただけば、今夜これから家に立ち帰って、すぐに手配したい」

「いま申したようなことは、ごく密密にはこぶ必要がある」

千坂は言って、竹俣に一任してはどうかと言った。色部と芋川が同意した。

「ことが終ったら、ただちに大目付を呼んで検死を乞い、また伏嗅を使って夜のうちに森の家の書類、道具に封印をしてしまう。それでよいか」

千坂は、ほかに打ち合わせることはあるかと聞いた。色部と芋川が、大体こんなものだろうと言った。その言葉をおさえるようにして、当綱はもうひとつ重大な相談があると切り出した。

「森の処分について、江戸の殿に事後承諾をもとめかつこれまでの政治を一新する改革を迫るためには、ここにいる四人だけでは不足だ。本庄、須田など侍頭の人人にも呼びかけて、多数による連判状をこしらえ、殿に掛け合う必要があると思うがいかがか」

「………」

「それと申すのも、森が藩内に扶植している勢力はどうして、なかなかに侮りがたいものがある。結束もはなはだ強い。殿のまわりはかれの与党が固めていて、蟻の這いこむ隙もないと申しても過言ではない有様だ。森の誅殺はいわば両刃の剣、事後の処置をあやまればわれわれも返り血を浴びねばならぬ。われらはわれらで徒党を組んで対抗する必要があろう」

「竹俣の言うことは至極道理」

と千坂が言った。

「この際は藩に重き者たちを結集して、連判をとる必要があるようだ」

「ただし、決行後のことでござるな」

あらためて事の重大さを認識したという表情で聞いていた芋川が、沈黙をやぶってそう言った。

千坂が、さよう、決行後のこと、それまでは一切この四人の胸のうちにおさめておくことだと念を押した。

最後の打ち合わせがそこで終ったようだった。色部と芋川が膝を起こした。目立ってはならぬから、われらは先に罷《まか》ると言った。当綱は残って、千坂にもう一度弾劾状を出してもらった。

千坂が案内の家士とともに自分も玄関に見送りに立ったあと、当綱は燭台に弾劾状をかたむけて、個条書にした弾劾の文章を丹念に読み返した。文章は当綱が江戸から書き送った素案を骨子にしていたが、これと森の豪奢な暮らしをむすびつけた項目には、やはり国元にいて森の周辺を調べた者でないと書けない鋭い指摘がふくまれていた。その結果、と弾劾状はのべていた。国法はみだれ、国力は衰え、藩の行末はまことにおぼつかないものとなった、と。

当綱は顔を上げた。

——森は、やはり死ぬべきだ。

この期におよんで、なお私利私欲しか念頭にないとすれば藩を毒する大悪人、生かしておくことは出来ぬと当綱が思ったとき、屋敷のはるか遠いところで戸が開く音がして、芋川のややあこれは大雪じゃという声がした。つづいてべつの声が、では今夜は十分に眠っておくといたそうかと言ったのも聞こえたが、不用意なその声はかすかで誰のものとも知れなかった。

森は弾劾状を読み上げる当綱を、無言で見ていた。森は大男というのではないが、中背で恰幅がよく下ぶくれの頬の肥えた顔をしている。出がけに髭を剃ってきたとみえて、あごのあたりが青青としているのが燭台の光にも見え、顔には日ごろ贅沢なものを食しているせいか、うすく脂がういている。

当綱は弾劾状を読みおわった。顔を上げて森を見た。

「いかがだ。思いあたることは多多あろう」

「はて、何のことでござろうか。いっこうに思いあたらぬ」

森はうそぶいた。それっきり顔を横にむけている。だが当綱は動じなかった。淡淡と言った。

「にわかに呑みこめねば、ことをわけて聞こう。去る宝暦四年の東叡山の工事手伝いにあたって、藩は内外から借金して辛うじて工事費用を工面した。この金策にあたって、森平右衛門も殿の側近としていろいろと知恵を出した。翌年二十石の加増をうけて御側役にすすんだのはその功を認められたのだと申す者がいるが、それはよい。おぬしの器量を示すものだ。しかしその時期に、人別銭まで徴収してあつめた苦心の普請金に一部使途不明の金額が生じた。おぬしにかかわりありというわさがいまも根強くあるので、たずねておるのだ」

「何か、証拠があってのおたずねでござるかな」

ひびきのいいはっきりした声音で森が言った。森はふてぶてしいほど落ちつきはらっていた。森はじっと自分を注視している千坂、色部、芋川にも臆したふうもない目をむけながらつづけた。

「ここにおられるお歴歴の方方にもさぞかし身におぼえがござるかと思うが、人の上に立って指図する身は、よかれと思ってすることもとかく悪しざまに言われるのがつねでござる。江戸家老が言われるうわさと申すものも、多分それに類したたわ言、証拠もなく非難されるのは迷惑至極でござる」

「では、つぎの人別銭の一条に移ろうか」

当綱はあっさり言ってつづけた。

「いま行なわれておる人別銭を、領民は血も涙もない悪税と申しておる。またこの税のために人心の荒廃が著しいと申す者がいるのは承知であろう。そもそもただいまの人別銭は、去る八年に、殿が出府される費用に窮して用いた非常の手段であった。しかるにその後四年を経て、なおつづいているのはどういうわけか、無策にもほどがあるということを申しておるのだが、いかがか」

「ほかに藩費をまかなうよき方法があれば、お教えいただきたい」

森はそっけなく言った。するとそれまでじっと沈黙をまもっていた芋川が、突然に鋭い声を出した。

「美作、弁口ではこの男にかなわぬわ。無駄な問答はやめにせい」

当綱は辛抱づよく森を詰問して、森が答弁の中でボロを出したときは、一気呵成に攻めこんで相手を窮地に追いこむつもりだったが、聞いていた芋川は森の傍若無人な応対ぶりにいらだちを押さえられなくなったらしかった。

ところが、千坂がその芋川を待てとおさえて、今度は自分で詰問にかかった。千坂が言った。

「聞くところによると、森の屋敷は水車のある庭を築き、家の中は造作に金銀を用いた上に、ギヤマンの長押をめぐらして中に金魚を飼っておるそうではないか。竹俣がさっき読み上げた時節柄をわきまえず屋敷住居を華美に造りなしてというのはそのことだが、事実とすれば大層な贅沢だ。しかし問題は、だ。藩の窮乏をよそにしたその奢《おご》りが、じつは人別銭の一部を流用しているのではないかと、世上もっぱらにうわさされていることだ、このへんの真実はいかがだな」

森は顔を仰向けてからからと笑った。そして、これはしたり。ご家老の言葉とも思えぬ言い方であると言った。森は千坂をおそれてはいなかった。

「藩の政務をみる身の心労は、他人の窺い知れぬものがあることはご家老もご承知のはず。家にもどって庭を眺め、ギヤマンの金魚を見ていっときの安息を得ることが、さように責めらるべきこととはそれがし思わぬ。また人別銭を流用したなどということは、これまたためにする誹謗《ひぼう》のたぐい、一顧の価値もござらん」

「さようか、しかし、だ」

千坂は悠然とつづけた。

「そなたの家の土蔵の中には数寄屋のこしらえがあり、炉のわきにはじかに掘った井戸があって、その水をくむつるべは銀で出来ておるそうではないか」

森が、ふと顔いろをくもらせたように見えた。何か言いかけたが、森は思いなおしたように口を閉じて刺すような視線を千坂にそそいでいる。その間に顔いろは少しずつ白っぽくなった。秘密の土蔵の内部のことまで知られているのは、森にとっても予想外のことだったらしい。

当綱はにぎっている手が汗ばむのを感じた。いま千坂が口にしたことは当綱がはじめて聞くことである。千坂はその事実をいつ手に入れたのだろうかと思った。色部、芋川も初耳だったらしく、二人ともに千坂に顔をむけている。注意深い表情で森を見ながら千坂はつづけた。

「土蔵の窓には銅づくりの蔀《しとみ》をおろして寝所とし、土蔵から辰巳の川岸まで抜け穴が通じているとも聞いた。さながら城塞じゃな。さて、聞かせてもらおうか。そも、これは何にそなえた用心だな、ん？　何かしらよほど世と人を警戒しておるかにみえるが、警戒せねばならぬほどの悪業のおぼえがあるということかの」

ほかの三人も一斉に森を見た。森は依然として口を閉じているが、額には肌の照りとはちがう汗がうっすらとうかび出ていた。その森を見据えながら、千坂が大喝した。

「答えぬか、森。われらの詰問に対して弁明相かなわぬときは、腹切らせろという殿のご命令だぞ」

「腹切らせる？　それはおかしい」

と森は言った。すると千坂が、竹俣、森に箱訴の一件を言い聞かせろと言った。当綱は、箱訴によって藩の窮状が幕閣の注目するところになったいきさつを手短かにのべた。

「幕府の調べが入れば、おぬしの藩政の舵取りが、これすべて稀代の悪政ということが露顕する。そうなっては藩そのものが鼎《かなえ》の軽重を問われ、お咎めをうけることは必定。ゆえにわれらの詰問に対して筋道立った弁明が出来ぬときは、腹切らせて森に責任をとらせよというのが殿の仰せだ」

「いさぎよく腹を切るか、森。支度は出来ているぞ」

と千坂が言った。

森は青ざめて白く粉をふいたようになった顔を上げて、ゆっくりと四人を見回した。そして最後に当綱に目をもどすと、少しかすれた声で言った。

「されば、殿のご沙汰書を拝見したい」

「密密の仰せゆえ、ご沙汰書はない」

「ますますおかしい。さようなことがあるものか」

と森はつぶやいた。つぎに森の顔は一瞬にして朱にそまった。すさまじい形相で、森は四人をにらんだ。そして大声を出した。

「やあ、今夜の会合にはよからぬ企みがあるぞ」

すっくと立ち上がると、森はうしろさがりに数歩入口の方に歩いたが、その動きがすばやくて、当綱らは立ち上がるひまもなかった。

「おたずねの条条、たしかに承った。しかしそれについての弁明は、それがし近近江戸に参って直接に殿に申し上げることといたす」

言い捨てると森は背をむけた。森は足早に会談所入口にむかっている。四人は一斉に立ち上がった。当綱が大声で「倉崎」と呼ぶと、入口横の襖がひらいて、伏せておいた倉崎一信が躍り出た。襷、鉢巻姿で、袴の股立ちを高く取った倉崎は、すばやく行手をさえぎると、近づいた森を抜き打ちに斬った。

倉崎の刀は浅く額を斬っただけだったが、討手の出現に森はよほど動顚したらしく、身をひるがえして部屋のなかに走りもどってきた。森の顔面ははやくも額から噴き出す血にそまって、凄惨な顔になっている。その森を迎え討つようにして、立ちふさがった千坂、色部、芋川が短刀をつらねて斬りかかった。森は斬り合う気配は見せず、襲いかかる短刀を素手ではらいながら逃げまどっている。森は三人の間をすり抜けて奥に逃げようとしていた。その目まぐるしい動きの中で、森と色部がはげしくぶつかり合い、はずみで色部の身体が大きな音を立てて畳にころんだ。誰も声を出さなかった。はげしい息遣いとどしどしという足音だけが部屋の中で交錯した。

だがそうした動きはほとんど一瞬の間のことのように思われた。当綱が色部がころんだところを見たときには、千坂と芋川の短刀をのがれた森が目の前に迫ってきていた。森の裃《かみしも》は片袖がはずれて背にぶらさがり、衣服は斬り裂かれ、顔からも両手からも血がしたたっている。森は野猪のように足音荒く当綱の横を走り抜け、そのときにつまずいて燭台を一基蹴倒して行った。脇差を抜きはなって鞘《さや》を捨てると、当綱は猛然と森のあとを追った。森は奥に逃げて別室にのがれようとしている。しかし襖に一間まで迫ったとき当綱は追いついた。左手を森の身体に巻き抱きこむようにおさえると、右手の脇差を森の右腰に突き立てた。刃は深深と森の身体をつらぬいた。森の動きがとまった。森は自分を刺した者の顔をたしかめるように、首を振って当綱を見た。しかしすぐに信じがたいほどの力で当綱をひきずりながら襖まで歩くと、厚い襖をかきむしった。

そこに駆けつけた色部と芋川が短刀をふるって、つぎつぎに森の首と脇腹を刺した。そして討手の三人が得物を引きぬくたびに傷口からおびただしく血が噴き出し、ことに首の傷からほとばしり出た血は高く飛んで、うしろに立つ千坂もろとも、男たちを血しぶきで汚した。

「………」

森は膝を折って襖にもたれかかりながら、供の家士と思われるひとの名を呼んだ。森が連れてきた家士二名は、二ノ丸の供待ち部屋に入ったところで、当綱が手配した佐藤文四郎秀周にすばやく拘束されたのだが、むろん森はそれを知らない。

家士の名を呼んだ森の声は弱弱しかった。そして不意に森は身体を捩って四人を見た。遠い燭台の光に、血の気を失った森の顔がうかんだが、目は虚ろで黒い穴のようにしか見えなかった。森は目をしばたたいた。それから徐徐に四人の方に向きなおると、背で襖をこすりながら腰を落とした。森の顔も手もどす黒く血にそまり、衣服は水を吸った襤褸《ぼろ》のようにふくらんでいる。

両足を前に投げ出し、背を襖にあずけると、森は静かに頭を垂れて動かなくなった。すぐに森の身体の下から血が筋をひいて畳に流れ出た。

「死んだ」

森の顔を持ち上げて鼻腔の息をさぐっていた芋川が言った。四人は息絶えた森を見おろしながら、しばらくは荒い息を吐きつづけた。そして息が静まると、当綱と芋川が森の身体をひきずって畳に横たえた。

「さてと、今夜はいそがしくなるぞ」

千坂が言い、二人の国家老と二人の江戸家老は、森が横たわっている暗がりから遠くに一基だけ燃えている燭台にむかって、歩き出した。

芋川が言った。

「手むかってくるかと思ったが、ただ逃げ走るだけだったの。不思議な男だ」

芋川の声には、かすかな嘲りの気配が混じっていた。当綱は首を回してうしろを見た。やっと燭台の光がとどくあたりに、森の身体が物を置いたように黒く横たわっているのが見えた。

十一

重臣十名が連署した藩主上杉重定あての言上書は、はじめに森の悪政の数数を項目別に挙げ、後段で藩主にきびしく当面の政治改革をせまる内容になっている。

役職の任命、大小の政務、事務はすべて森の承認がなければ実行されなかった、したがって役人はいても本来の職分を発揮することが出来ず、さながら森の手先同然であった。森が権力を一身にあつめたのは彼本来の職分にふさわしくないことだった、ここに国政が二分され、甚だしく政道が妨げられた原因がある。森は郡代所を設置し、古法を改めて新法を実施したが、この郡代所は結局は森が自分の威勢を張り、懐を肥やす道具となり、これまた政治の乱れの根本原因となった。藩財政が窮地に陥り、城回りの破損が甚だしいというときに、森一人庭先の華美を誇っていた。その罪のがるべからざるものである。

言上書は森誅殺の理由となった悪政をこのように数え上げたあと、一転して威丈高な文言で藩主に政治改革を促していた。

お上の御用は滞っても、家臣へのお渡し物は定法どおり相渡すべきであり、借り上げはしないこと、すべて身分、格式をもってご政道は相立つものであるから、近年のように家格の高い者を軽く扱い、身分の低い者を引き立てる格式不同の人物登用を改めること、古来の先格（しきたり）を厳守し、政務においては永年勤続、年功を重視すべきである。以上のことが聞きいれられず、今後もこれまでどおりのやり方で通すということであれば、もはやわれわれは政治を取りはからうことが出来ないが、そうなれば御家もまた立ち行かないであろう。

最後はほとんど恫喝的な言辞でしめくくられている言上書に名前をつらねているのは、国家老の千坂高敦、芋川正令、江戸家老の色部照長、広居清応、竹俣当綱、侍頭の本庄職長、中条備資、須田満主《みつたけ》、安田秀林、竹俣英秀である。

連署の重臣を代表して出府した本庄職長、芋川正令、竹俣当綱の三人は、いま言上書を読む藩主重定をじっとみまもっていた。寵臣を殺された重定が激怒していることは、言上書を持つ手が小さくふるえ、時どき三人に投げつけてくる目の光が険悪なことでわかった。おそらく、ことわりもなく森を殺害した上に、このおれに説教までする気かと思っているのだ。思い上がったやつらめ、とも思っているだろう。

しかし藩主の怒りは予想していたものだった。当綱らは、今日の会見では重定が言上書に盛られた事項を認めるまで、一歩もひかないことを申し合わせていた。当綱は目を重定にそそぎながら、森の誅殺と藩政治の改革について重臣たちの申し合わせをとりまとめた日のことを思い出している。

森を誅殺したあと、当綱らはただちに侍頭、三宰配頭、六人年寄を城中に招いて森処分のいきさつを報告したが、四人がした措置に異議をとなえる者は一人もいなかった。報告は即座に了承された。五人の侍頭は五組に分れる侍組のそれぞれの頭であり、宰配頭はいわゆる三手組と称される馬廻組、五十騎組、与板組のそれぞれの長である。また六人年寄は、三手組から抜擢された利《き》け者六人で構成される政務参与で、国家老の下にあって重要政務を執りあつかう重い役職だった。

かれらに承認されたことで、森処分はほぼ藩公認の事実となっただけでなく、かれらが束ねる侍組、三手組など、藩内の重だった家臣の動かぬ支持を取りつけたことにもなった。しかし残る藩主重定への事件報告が難物だった。国元の支持を得ても江戸にいる重定が報告を受け入れなければ、森処分は宙に浮いてしまう危険がある。もしそんな事態になれば、やがては藩主となお藩政の要所を押さえている森派の結託によって、当綱らが逆処分を喰らう可能性すら出てくるだろう。

その難所を乗り越えるためには、国元の一致した支持を形にしたもの、森誅殺の前夜に当綱が言ったような侍頭を引きこんだ連判状といったものがぜひとも必要だった。

そしてその連判状について言えば、森誅殺の実行者である二人の国家老、広居清応をのぞく二人の江戸家老は、もはや連署したも同然である。問題は五名の侍頭だった。侍頭は、窮乏する藩内にありながら高禄のゆえになお暮らしにゆとりを残す侍組の家家を束ねる頭で、しかも今日《こんにち》ただいまの藩政治に直接かかわり合っているわけではない。従って考え方も言うことも、とかく保守に傾きがちな男たちとみられていた。かれらが、さきに家老、宰配頭、六人年寄と会合した席で森の処分を了承したように、藩主に提出する言上書にもやすやすと署名するという保証はひとつもない、と当綱は思っていたのである。

しかし言上書を読んで怒りくるうに違いない藩主をおさえて、森処分とこれにともなう当然の政治改革を飲ませるためには、侍頭とその背後にいる九十五家の侍組を後盾に引きこむことが喫緊の大事だった。

そのための工作をほどこすべき会合が、森の処分から三日後の二月十一日に、ひそかに城中でひらかれた。あつまったのは国家老、江戸家老、五名の侍頭で、会合を呼びかけたのはむろん家老側である。席上、千坂らと作成した言上書の案文を懐から取り出しながら、当綱は、いかにかれら五人の侍頭を説得して言上書に連署させるか、いずれにしろこれからひと汗かかねばなるまいと思っていたのである。

ところが予想外のことが起きた。当綱が言上書の案文を読みおわるやいなや、五人の侍頭の口から相ついで激越な藩主批判の言葉がとび出してきたのである。かれらは、森の悪政はかくれもない事実だが、それをゆるした重定の政治的な無能ぶりが問題の根本であると口口に言った。藩主攻撃はさらにつづき、今日の藩窮乏の根底には大事なときに凡庸にして大浪費家である人物を藩主に戴いた藩の不運があり、堪能なのは乱舞だけという重定本人の罪は、森の問題を抜きにしても軽からざるものがある、という意見まで出た。

ここまでくれば、藩主に対する姿勢で、森誅殺の実行者である家老たちと侍頭は一心同体というべきだった。ただちにつぎのような申し合わせがまとまった。森誅殺は侍頭も同意したことである、連署を前に、森一件を藩主に報告し、もし藩主が家老のした措置を批判して報告を了承しないときは、侍頭は家老に与《くみ》し、一致団結して藩主に承認をせまる、藩主に政治改革を要求し、承諾を得られないときは一門の方方にも働きかけながら、家老、侍組一体となって改革の実行をせまる、それでも聞きいれず、また一時聞きいれても藩主が改革に踏み切らないときは、重き御覚悟あそばされ候ように取りはからい申すべく、というのが申し合わせの主な内容だった。

そのあと案文は若干手直しされて正式な言上書がつくられ、四人の家老、五人の侍頭の連署連判は何の支障もなくととのったのである。江戸屋敷にいて留守をまもる広居清応の連判は、あとでとることにした。当綱にすれば、むつかしいとみていた会合を大成功の形で乗り切ったことになる。

また侍組、国家老、江戸家老からそれぞれ一人ずつの代表者を立て、十九日か二十日にはともに出府して藩主に言上書を提出することもその場で決まった。いま藩主の面前にいる三人が、そのときに選ばれた代表である。

時どき小きざみに手をふるわせながら言上書を読んでいる藩主を見ながら、当綱は、しかしあの会合も万事が万事うまく行ったわけではなかったと思っていた。

——格式、先格か。

身分、格式にこだわる侍頭を味方に引きこむためにはやむを得なかったとはいえ、森の悪政にかかわる政治改革が、あたかも格式、先格の復活にかかっているような文言を言上書に盛らざるを得なかったのは、いかにも方角違いだった。

格式、先格を重んじて停滞した政治こそ、森の独裁を招いた原因ではなかったか。下手をすると殿にそのあたりを突かれるかも知れぬ、と当綱が思ったとき、重定が長文の言上書を読みおわった。

読みおわった言上書の紙を、たたまずに搔きあつめてむずと握りしめたところに、重定の怒りが現われていた。

「そのほうら……」

重定の面長だが肉づきのいい顔が、にわかに紅潮した。興奮しているせいか、声がふだんよりも甲高い。

「いろいろとならべておるが、つまりはわしにことわりもなしに森を殺害したというわけだな」

「おゆるしを乞えば、ご承引をいただけましたかな」

国家老の芋川が、いきなり辛辣な口をきいた。

「ごらんあそばされたとおりでござる。森の罪状は明明白白、殿のおゆるしをいただくまでもないというのが、われわれ国元の者の判断でござった」

「事の性質上、言上書には載せてありませんが、去る正月にわが藩の窮状を幕府に箱訴した者がおります」

と当綱は言い、箱訴の内容、これについて幕府がどう対応しようとしているか、といったことをくわしく説明した。

「近ごろ領内の民情はまことに不穏、箱訴は氷山の一角とみるべきものでござった。しかも片側に森の失政にそそがれる幕府の目があるということになって、事は急を要してござる。事後承諾を乞うのはまことにおそれ入った次第にござりまするが、事情をご斟酌《しんしゃく》の上、なにとぞこのたびの一件をご承認いただきたい」

芋川正令の高飛車な物言いを埋め合わせるように、当綱は丁寧にそう言った。言上書の補足としては理をつくしたつもりである。だが重定は煩わしそうに手を振っただけだった。

「森を殺害したのは誰だ。ん?」

重定は三人を見回し、最後に当綱に目をとめた。重定は内心の憎悪を隠していなかった。

「竹俣、そのほうが殺害に加わったのはわかっておる。名を偽ってはるばると国元に帰ったのだからな。手を出さぬはずはない。だが一人ではあるまい。ほかは誰だ」

当綱は顔を上げた。憎悪の目で自分を見ている藩主を見返した。

「それを白状せぬうちは、承認罷りならぬということですかな」

「当然だ。森はわしが藩の仕置きを命じた人間である。その人間を勝手に始末するとは、わしをないがしろにするもはなはだしい話だ」

「では、森がやった仕置きは正しいと？」

「そんなことはわからん」

と重定はいらだたしげに言った。

「わしは政治は苦手だ。政治は森にまかせておった。あの男は器量人だったからの」

「だが、その森の政治がいかなるものであったかは、ごらんの言上書に書かれてあるとおりでござる。勝手に始末したと言われるが、森の罪は万死に値するものでござった」

「そんなものは、そのほうらの一方的な見方に過ぎん」

「いや、それは違いますぞ、殿」

当綱は大声を発した。

「殿は乱舞に凝っておられてご承知あるまいが、森の失政によって、藩は先の存続を危ぶまれるきわに追いこまれ、いまもそのままでござる。これが真実でござる」

「森はそうは言っておらなんだな」

平然とした口調でそう言うと、重定はつぎに顔にうす笑いをうかべ、投げやりな口調で、森にかわって誰かが仕置きの舵をとったところでそれでにわかに藩が楽になるわけでもあるまい、とつけ足した。そしてさらにつづけた。

「そういうむつかしい話はあとにして、誰が森を殺害したか、まずそれを聞こうではないか、美作」

当綱は口をつぐんで重定の顔を見た。侍頭に連署をもとめたのは間違いではなかったという考えが胸をかすめた。

容易ならぬ壁のようなものに突きあたっているのを当綱は感じている。言ってみればまったく理を受けつけないものが前面に立ちはだかっていて、何を言っても言葉はむなしく手もとにもどってくる、といった感触があった。千言万語をついやしても、これは無駄だと当綱は思った。

重定が、寵臣を失っただけでなく自分の顔をつぶされたと思っていることは、言葉のはしばしから読みとれた。しかしそれならそれで、藩主らしい対応の仕方というものがあるだろうと思われるのに、重定はそういう場合に必要な藩主らしい威厳も寛容さも示せないでいるように見えた。その上政治の現状も領民のくるしみも一切視野には入らず、森が殺害されたただそのことだけにひたすらにこだわる気配が重定から押し寄せてくる。

——おそれながら、愚者に似ておわす。

と当綱は思った。これまでも凡庸の藩主とは思ってきたが、はっきりと暗愚を感じ取ったのはいまがはじめてだった。

藩主としてはじめて国入りした重定が、家臣にむけて文武ならびに謡曲乱舞に心がくべきことという諭告を出し、家中をおどろかしたことを当綱は思い出した。しかし謡曲乱舞は本来武家がたしなむべきもので、おどろいたのは米沢藩家中が無骨にすぎたからだということも出来よう。

だから新藩主が政治には無関心で、乱舞にばかり熱心であるなどという評判がたっても、家中はそれをさほど奇異に感じたわけではない。だが重定の来し方をふり返ってみれば、乱舞ひと筋といった凝り様はやはり尋常とはいえないものではなかったのか。

当綱が言葉を失っていると、それまで無言でいた本庄職長が口をひらいた。

「その返事は、われらから申し上げる」

その場の空気にそぐわないほど、ゆったりとした口調で職長は言った。職長自身は平林家から養子に入った人間だが、物言いといい所作といい、職長には越後村上城主として下越に勢力を張った本庄家の裔としての貫禄が身についていた。知行は千六百石余の大身である。

「森を誅殺したのは、そこに名をつらねておる十人でござる」

重定は何か言いかけたが、思い直したように口をつぐんだ。じっと職長を見まもっている。

「われらが森をのぞいたことを、殿はお認めになりたがらないご様子に拝察するが、これはぜひともご承認いただかなくてはなりませぬ」

おだやかな口調とは裏腹に、職長が言うことは威圧的だった。

「このたびの一挙には、侍頭五人が一人も欠けずに加担いたした。むろんそのうしろに九十五家の侍組がひかえておることを、殿はご存じであられる。また森処分のあと、ただちに三手の宰配頭、六人年寄を招いて事の是非を聞いたが、かれらはこれを承認した。この者らが三手組をひきい、あるいは藩の実務を預かる男たちであることは、これまた殿がご存じである。すなわち……」

淡淡としゃべっていた本庄が、ここで声に力をこめた。

「侍組、三手組は森処分を可といたした。さらに申せば残る三扶持方、手明《てあき》組、足軽、これもまた右の承認を異議なく歓迎したことは、森の処分が洩れるや家中に喜色がみなぎったことであきらか。すでに国元がかような情勢にあるとき、なお一人ご承認はまかりならぬということであれば、殿はここで家中藩士のことごとくを敵に回さねばなりません。その覚悟はおありですかな」

重定はうつむいた。だが、すぐにひょいと顔を上げた。

「在郷、町方の者はどうだ。森は村方の改善に熱心だったゆえ、少しは死を惜しむ者もおったろう」

「とんでもございません」

と芋川正令が言った。

「森は苛酷な税を取り立てるだけではあきたらず、村にも町にも隠し目付を放って、政治を評判する者はうむを言わせず牢にほうりこんでおりました。その死を喜びこそすれ、死を悼む者などはおりませんぞ。一件を聞いて、領民はこぞって万歳をとなえたと申します」

重定は歯嚙みするような表情を見せた。しかし芋川の遠慮会釈のない言い方で、さすがに藩の大勢を悟ったらしい。ようやくあきらめた顔になって、小さくうなずいた。

「森にも欠点はあったであろう。よし、そのほうらのしたことをやむを得ぬ仕儀と認めよう。終ったことは返らん」

「お咎めはなしですな」

本庄の念押しに、重定は不機嫌な口調で言ったとおりだ、と答えた。

しかし本庄はもうひと押しした。

「改革の件もご承認いただいたと考えてよろしゅうござりますな。そちらはべつということでは、政治は停滞いたします」

「わかった。趣旨は聞きおく」

いまいましそうに、重定は言った。


帰国する本庄と芋川を見送った日の夜、竹俣当綱は上屋敷内の役宅に、藁科松伯、莅戸善政、木村高広を招いた。

召使われている老爺が、焼いた越後鮭の塩引に、上屋敷の台所で漬けているこれまた口がひん曲るほど塩からい大根の味噌漬け、それと盃をのせた膳をはこんできた。そして最後に大きな徳利をはこんできて去ると、当綱はさっそくその徳利を持ち上げた。

「国元の大町でもとめた地酒だ」

当綱は両手で持ち上げた徳利を耳のそばで振った。ごぼごぼと音がするのを確かめてからうなずいた。まだかなり残っておる、と言った。

「いや、江戸にもどったら貴公らと一献酌みかわそうと思って大事に背負ってきた酒だが、なにせ歩くと音がするもので、途中で芋川に気づかれてしもうた。季節はまだ寒いというわけで、宿でかなり飲まれての、江戸に着くまでに空になるかと思った」

松伯は、微笑しただけだったが、莅戸と木村は小声で笑った。

酒をつぎ合って盃を満たすと、四人は一挙の成功を祝って盃の酒を飲み干した。森誅殺に成功した二日後の十日、当綱はそのことを知らせる三人あての急飛脚を立てているが、本庄、芋川と出府してきてからは、重定と対決するのにいそがしくて、四人そろって顔を合わせるのは今夜がはじめてだった。

祝盃が済むと、当綱は床の間わきの手文庫から巻紙を出して三人にわたした。

「これが殿にさし出した言上書の写しだ。目を通してくれんか」

当綱に言われて、三人は順順に写しを回し読みした。最後に木村が読みおわり、当綱に写しを返すのを見てから、松伯が口をひらいた。

「で、殿は森平右衛門の誅殺を承認されたのですな」

「認めた。はじめはなにしろはげしくお怒りで、承認を得るのに骨折ったが、そこは肝心のところゆえ、われらも負けてはおられん。重臣連判を盾に押し切った形だ」

そのときの重定との応酬を思い出して、当綱は喉もとに、あの方は愚者だと言いたい気持がこみあげてくるのを感じたが、こらえた。いくら腹蔵なく物を言い合う同志の前でも、その言葉は口に出して言ってはならないように思えたのである。

しばらくはわが胸ひとつにおさめておくしかない。そう思って当綱が顔を上げると、自分を見ている冷静な松伯の目にぶつかった。松伯が言った。

「後段のご改革の件も、殿はお認めになりましたか」

「一応は」

当綱は盃を置いて、あごの不精ひげを搔いた。

「聞きおくという申されようだったが、改革案と申してもこれといった今後に役立つ項目が示されているわけではない。家禄なり、扶持なり藩が渡すべきものは決まりどおりに渡すこと、借り上げは罷りならんと、はなはだ現実ばなれのした要求のほかは、格式、しきたりを重んずべきだと言っておるだけだから、殿としてもほかに言いようもないわけだ」

「格式、先格に目くじらたてるわけではありませんが……」

松伯は目もとにかすかな笑いをうかべた。松伯がそういう顔になるときは、胸に不満があるときである。

「それだけではご改革は無理でござりましょう。政治改革には思い切った人材登用が欠くべからざるものです。言上書の案を見るかぎり、森という羹《あつもの》に懲りてなますを吹き、人材登用の道を閉ざしにかかっているとしか思えませんが、いかがでしょうか」

「その場にこの竹俣がいて、かようなありさまは何事かと、松伯先生はお怒りであられる」

「いやいや、さようなことは……」

当綱は両手を上げて弁解する松伯を制した。

「そう思われるのは当然のことだ。それがしも格式、先格が出てきたときはこれはこれはと思ったが、口には出さなんだ。それというのも、連署に侍頭の面面を引きこむからには、それぐらいのことは出てくるかも知れぬと半ば予想しておったからの」

このたびは火急を要する連署を優先させたということだ、というと、当綱は両掌でぱたりと厚い腿を打った。

「改革はこの先、徐徐に中身を考えていかねばなるまいて」

松伯が相わかりましてござる、と低頭したあと、四人は塩からい鮭と漬物を肴に米沢の地酒を酌みかわし、当綱が語る森誅殺の仔細に耳かたむけながら談笑した。森処分そのものは愉快に笑うべき事件ではなかったが、そのことがひさしぶりに藩の前途にあかるい光をもたらしたことは否めなかった。以前のように談笑の声を外にはばかる必要もなく、役宅の一室には菁莪館の書斎のひとときがもどってきたような、打ちとけた空気が漂った。

松伯もひかえ目に盃をあけていたが、当綱が心配したようにそのために咳きこむこともなく、顔いろもよかった。以前に病気を案じたのが杞憂だったようにも思えた。

国元の話が一段落したところで、当綱は松伯に呼びかけた。

「先生、直丸さまのご様子はいかがですかな」

「それがです」

松伯は顔をほころばせた。

「ご学問もさることながら、近ごろは馬のお稽古に出精でござります」

「ほほう、それは頼もしい」

そう言ったとき、当綱の胸に稲ずまのようにひらめき消えたものがあった。藩主交代をいそぐべきではなかろうか。

当綱はむずと胸に腕を組んだ。襟にあごを埋めて思案にふけっていると、遠慮深げな莅戸九郎兵衛の声がした。

「ご家老、もうひとつおうかがいしてよろしゅうございますか」

当綱は顔を上げた。腕組みを解いて莅戸を見た。

「何だ。遠慮なく言え」

「さきほどの言上書ですが……」

莅戸は持ちまえの慎重な口ぶりで言った。

「ご老臣連署とは申しながら、言上書の文言には殿に対して少少威丈高に過ぎる個所が二、三あるように拝しました。これにはなにか、わけでもございましたか」

「ははあ、気づいたか」

と当綱は言った。

「須田満主ではなかったかと思うが、言上書の打ち合わせのときに、藩主が藩の乱れのもとになっているときは、重臣が結束して藩主を押し込め、隠居せしめても、幕府の裁定は必ずしも重臣側に不利にならぬという慣行があると言い出したのだ。それではひとつわれわれも遠慮なく意のあるところをのべようかということで、ああいう文章になったのだが……」

当綱はため息をひとつついた。

「いささか品格を欠いた言上書となった。莅戸が気にするのも無理はない」

このとき当綱は何気なくその打ち明け話をしたのだが、そのとき話題になったことが、のちに形を変えて、七家騒動という一藩をゆるがす大事件の中に現われてくるとは、むろん予想もしなかった。

十二

竹俣当綱ら重臣四名が、藩主重定に談判して森利真誅殺を追認させてから十日ほど過ぎた三月四日、国元では森家の処分言い渡しが行なわれた。

嫡子の森平太七歳は親類預け囲入り、森家用人佐久間政右衛門父子は入獄処分となったが、そのほかの家族、召使いは構いなしとされた。そして二日後の六日からは、森が仕置きの本拠地とした郡代所の役人に対する町奉行の調べがはじまった。その郡代所と、またやはり森の息がかかった役所のひとつで、内輪役場という機構が、森家処分と同時に廃止された。

また、森平太、用人の佐久間父子の処分言い渡しが行なわれた同じ日、森の屋敷の門扉と塀が藩の手で打ち壊された。御作事屋頭橋爪久兵衛と夏井弥左衛門が、大工十人、人足三十人を引きつれて森屋敷に行くと、金《きん》金具を使った黒塗りの門、長大な板塀を斧と大槌をふるってことごとく破却したが、その破壊の音は数里の間に響きわたったという。

また森が屋敷内にたくわえておいた諸道具は、六人年寄の中澤新左衛門が立ち会って改め、城の宝蔵に返すべきものは返し、売り払うべき物は城下の商人を呼んで売り払ったが、城にもどされた森の所蔵品の中には金銀拵えの名刀三十振、また純度日本一と言われた佐渡産の極純金延板六本、時価にして一本千二、三百両にもあたる物があった。これら諸道具の始末がつくまでのおよそひと月ほどの間、森屋敷は御使番、徒目付、伏嗅《ふしかぎ》によって昼夜厳重に警固された。

森家処分の詳細については、当綱の手もとに公式にもまた国元にいて改革に心を寄せる同志からもしきりに知らせがとどいたが、そのあと藩政を押さえている森の一党の調べがどこまですんでいるのか、また千坂、芋川は藩政改めに手をつけたのか、それともまだかといったような、江戸の当綱らが耳を澄ますようにして動きを窺っている事柄については、何の音沙汰もなく日にちがたった。そして梅雨のさなかの季節に、重定が参勤交代で帰国した。

竹俣当綱は、重定の帰国でひと息ついた。重定と当綱の間は、表むきは藩主と江戸家老の立場で、支障なく日常の政務を処理しているものの、内面は捩れに捩れた関係に変りつつあった。

藩主は当綱を、信頼する森平右衛門を殺した張本人めという目で見ているし、当綱は当綱で重定を暗君と思い、内心で重定の存在そのものが藩の疲弊に拍車をかけ、再生を邪魔していることを疑っていないわけだから、双方ともに相手を見れば気持が尖るのはやむを得ないことであった。しかしその当綱にしても、重定が帰国すれば動きのにぶい国元にも、改革にむけて何らかの変化が起きるだろうと期待していたのである。

しかし聞こえてきたのは、五月二十二日に侍頭の本庄、須田、安田、竹俣（英秀）の四人が、重定に改革をもとめる建白書を提出し、これに対して重定が、国家老と侍頭に領内の荒地開拓と藩財政について意見を出すようにもとめた、ということと、六月になって借り上げ半物成《ものなり》のうち銀方の借り上げを停止したということだけだった。

銀方の借り上げを停止したのは、当綱らの言上書にある家臣に渡すべきものは定法どおり渡すべきであるという威嚇的な言辞に応えて、曲りなりにも恰好をつけたということであろうし、荒地開拓に言及したのも一応は藩主みずからが財政建て直しに意欲を持っていることを示したつもりだろう。だが、肝心の藩政機構から森の悪しき遺産ともいうべき森派の男たちをのぞく動きはまったくみられず、帰国した藩主を中心に試みられている改革は、改革の名にも値しないお座なりなものというしかなかった。

七月の末になって、重定は侍頭の本庄職長、須田満主を呼んで、侍頭のまま六万石の荒地開拓をふくむ農政を担当することを命じた。本庄、須田はその新しい職務に乗り気でなくしきりに辞退したが、重定に強く命ぜられて引きうけた。しかし本庄は一年ほども御用を勤めてお茶をにごすつもりらしいということも国元から聞こえてきた。重税と借財に喘ぐ瀕死の藩を救うために、誰かが命がけで何かをやっているわけでないことはあきらかだった。

風がつめたくなった九月に入って間もないある日、江戸屋敷の表の勘定組詰の間で、桜田御屋敷将を兼ねる御勘定頭と桜田、麻布、芝白金の各屋敷の掛り費用について話してきた当綱が、江戸家老詰の部屋にもどってくると、廊下の先に奥からさがってくる藁科松伯の姿が見えた。二人はガタがきて板が浮いている廊下をぎしぎし鳴らしながら両側から近づき、出会ったところで立ちどまった。

会釈した松伯が言った。

「国元のことでご家老にお話し申し上げたいことがあります。今夜、おじゃましてよろしゅうございますか」

「いっこうに構わぬ。どうぞおいでなされ」

当綱は丁重に言った。

「先生おひとりですかな」

「はい、ひとりです。では、後刻」

松伯はまたぎしぎしと踏み板を鳴らして遠ざかって行った。だいぶ行ってから、乾いた咳を二つほどしたのが聞こえた。当綱は立ちどまって振りむき、しばらく松伯の痩せた肩のあたりを見送った。

その夜、当綱の役宅をたずねてきた松伯は、懐から手紙を取り出した。

「源左衛門から手紙が参りました。国元の動きを記したものですが、二、三気になることが書いてございます。お読みになりますか」

小川源左衛門は御勘定頭小川与総太の嫡男で、松伯の門弟だった。家は五十騎組である。当綱は、どれ拝見と言って源左衛門の手紙を受けとると、巻紙をひろげてすばやく目を走らせた。

「ほう」

しばらくして当綱は言った。

源左衛門の手紙は、はじめにさきに同志から通報があった本庄、須田の両侍頭が荒地開拓の新事業を担当することになった一件に触れていた。そして引きうけはしたものの担当の二重臣の新事業への取組みはきわめて消極的で、藩のために開拓を成功させようという気概が少しも見られない。それに憤慨して、去る八月、家臣十一名が尾張藩に陳情をした、と書いてあった。先年に死歿した重定の正室豊姫が尾張藩主徳川宗勝の娘で、家臣らはその縁を頼ったのである。

かれらはその陳情書の中で、一刻もはやい藩政改革がのぞまれるのに、諂諛《てんゆ》の家老は改革に消極的で、忠義の家老もその有様を拱手傍観していると重臣たちを非難し、さらにつぎのように述べたという。この夏の小物成の徴収は、国家老の指図によって非道の取り立てが行なわれたので、民心の暴発は眼前にありという状況になっている、何とぞ貴藩から、親戚藩のよしみをもってわが藩の為政者にきびしい忠告を寄せていただきたいと、陳情書の内容は大要以上のようなものであったと源左衛門は書いていた。

諂諛の家老、忠義の家老の名前も挙げられていて、重定にへつらう家老とされているのは芋川、色部、広居の三家老と侍頭の本庄で、忠義の家老は千坂、竹俣(当綱)、侍頭の中条、須田、安田、竹俣(英秀)の六名だという。そして最後に源左衛門は森の一派は依然藩政の要所を占めて、もとのままであると手紙をしめくくっていた。

国元の家臣たちが尾張藩に何ごとか働きかけたらしいということは、当綱の耳にも入っていた。尾張藩は重定の正室の実家である上に、前藩主宗房の室蓮胎院も、さきの尾張藩主宗春の養女だったので、両家の交際は親密だった。ことに重定の襲封後、もともとくるしかった藩財政が公儀の工事手伝い、相つぐ凶作でにわかに窮迫の度を深めたころ、また森利真の専権が表面化したころには、米沢藩から尾張藩に、あるいは当面の指示を仰ぎ、あるいは重臣たちがひそかに藩主重定に対する説諭を依頼したりする動きも少なからずみられたのである。

　そしてそのような動きの仲介役として、米沢藩家臣は時おり米沢新田藩主を頼ることがあった。米沢新田藩は、重定の父吉憲が幕府の許しを得て弟上杉勝周《かつちか》に新田一万石を分与して支藩とした藩で、住居は米沢城二ノ丸の内、また江戸屋敷は米沢藩麻布中屋敷の内に二千八百坪を分譲されている身分ながら、もっとも近い親戚藩として、本藩の介添え役、あるいは目付役として本藩内に重んじられてきた家である。支藩の現藩主は上杉駿河守勝承《かつよし》で、公儀の役は父と同じく駿府城加番だった。

　森処分で連判状を作成する直前に、当綱ら重臣たちは急遽同心を確認する申し合わせをした。そのなかで、藩主が承認しない場合は一門の方方にも働きかけると言ったときも、かれらは支藩藩主勝承を念頭においていたのである。

　今度の尾張藩に対する訴えで、家臣が駿河守を頼ったかどうかについては、源左衛門の手紙は触れていなかった。

「非道の取り立てとは何かな」

　当綱は首をかしげたが、すぐに自分でうなずいた。

「停止した銀方借り上げ分をべつの形で取りもどしたのだな。言上書の約束を守るために恰好をつけたものの、いまわが藩の財政のやりくりからいえば、たとえわずかにしろ借り上げを停止するゆとりなどはない」

「その分を庶民がかぶったということでしょうか」

「詳細はわからんが、まあそうみて間違いなかろう。しぼっても血も出ないところから、さらにしぼり取ったという次第だ」

「藩も天を恐れぬことをおやりになる」

と当綱は言った。

「まさに亡国の相ですな、先生」

「自身も重役の列につらなる身でこういうことを言うのは憚りがあるが、過日の言上書に言う格式、先格などというものは平時のたわごと、乱世のただ中ともいうべきいまのわが藩に通用する物差しではござらん」

「いかにも」

「しかし、ま。芋川はともかく千坂などは気の毒な面もある」

当綱がそう言ったとき、突然に松伯がはげしく咳きこんだ。当綱はその間に立って台所の老爺を呼び何事かを言いつけたが、松伯の咳がおさまったころに老爺が持ってきたのは、小さな紙包みと湯気立つ黒い液をいれた茶碗だった。

「先日、さる人からめずらしい物をもらいましてな。これがその折の頂き物です」

当綱は紙包みをひらいて、包んである黒い塊を示した。

「黒砂糖です。だが唐渡りではなく琉球産とかで、少し味が落ちるなどとも申しておったが、なに、喰べてみるとさほどの違いはない。黒砂糖は黒砂糖です。これを半分、先生におわけしましょう。それから……」

当綱は茶碗を松伯の前に押しやった。

「黒砂糖を湯に溶かせたものです。御医師の先生に講釈するわけではありませんが、これは咳を鎮めるのに卓効があるそうですな。くれた人がそう申しておりました。どうぞ、お召し上がりください」

「これはかたじけない」

松伯はかれこれ言わずに茶碗を手に取ると、うまそうに砂糖湯を飲んだ。その様子を少し眺めてから当綱は言葉をつづけた。

「たとえば森の一党です。やつらはいまも要職を押さえて藩政を動かしておる。しかし改革はやつらをのぞくことからはじめなければなりません。それが第一歩ですな。わしならなにはともあれ蛮勇をふるって旧制を一掃し、やつらを藩政の仕組みの外に叩き出すところだが、千坂にはそれが出来ん。それをやるとこれまで藩政を支えてきた屋台骨があちこちで崩れて、当面の仕置きをすすめるのに齟齬《そご》を来すのを恐れておるのです」

「………」

「千坂は平時なら名執政と呼ばれてしかるべき器量の人物です。しかしながらその千坂も、いまの藩をいかんともし難い。無能の家老呼ばわりされるのを免れないということですな」

と当綱は言った。

だが当綱はすぐに、胸の中でそういうおまえはどうなのだと自問していた。さも自信ありげに大口を叩いているが、はたして混乱する藩を引きうけて新しく仕立て直すことが出来るのか。それだけの器量があるのか。

その問いかけには容易に答えられなかった。当綱はむっと黙りこんだ。師の松伯が無言で自分を注視しているのを感じたが、目を上げなかった。千坂、芋川を無能と非難するのは、おそらく間違っているだろう。いまの藩の仕置きは、誰がやってもいま以上のものにはなるまい。

そう思ったとき、みずからを嫌悪する気持が当綱の胸にあふれた。似たようなことを、かつて重定が捨てぜりふのように言ったのを思い出したのである。嫌悪感は行手に立ちふさがる何ものとも知れぬ不如意なものに対する憤りに変った。

「森の始末がついて、ここで一杯やったとき……」

と当綱は言った。

「九郎兵衛と丈八がいたゆえ言うのを憚ったが、先生、わが殿は疑う余地のない愚人ですぞ」

「……」

「森処分の承認を迫った席で、つくづくとそう感じ申した」

めずらしく松伯が破顔した。

「いまごろお気づきですか」

「いや、かねて凡庸の君とは思っておったが、あのような愚物とは知らなんだ」

当綱は藩主を罵った。森がいなくなって、こういう話を大声で出来るのがうれしかった。

「はやい話が、あのお方は森を誅したわしをいまだにしつこく恨んでおられる。いや、それはかまわん。ただこの非常のときに、心中森があって藩無きがごとしというおひとが藩主では情けないと申すのだ。藩の行手は闇ですな、先生」

「いや」

松伯が胸を起こしてきっぱりと言った。

「直丸さまがおられます」

「おそれ多いが、まだ子供だ」

当綱は言い捨てた。胸にまだ怒りがくすぶっていた。だが、少し気がさして言い直した。

「今年、おいくつであられたかな」

「十三におなりです。間もなく藩を背負って立つ君主になられるでしょう」

間もなくとはいつのことだ、と当綱は思った。命運が尽きかけている藩の姿が見えていた。森をのぞいたものの政治の仕組みは何ひとつ変らず、その間にも領土を覆う貧困は深まって藩は息絶えようとしている。当綱の胸を、記憶にある虚無の思いが静かに横切った。くたばるならくたばればいいのだと思った。

するとと、まるでいまの当綱の心中の声を聞きとったかのように、松伯が言った。

「ご家老、直丸さまをお信じになることです。あきらめることはありませんぞ」

当綱は松伯を見た。松伯は微笑して当綱を見ていた。だが当綱には、その清らかな微笑も自己満足にひたっている狂信の徒の笑顔としか見えなかった。

十三

竹俣当綱が御用部屋で書類を見ていると、襖が開いて色部照長が顔を出した。

「入ってもよろしいか」

「どうぞ」

当綱が言うと、色部はずかずかと部屋に入ってきた。今日は非番で、役宅で帰国の支度をしていたはずなのに、見れば裃をつけている。

「いや、明日は早立ちしようかと思ってな。いま、直丸さまに帰国のご挨拶を済ましてきたところだ」

「さようか」

当綱は机の上の書類を押しやって、色部に向き直った。

「むこうにはどのぐらいおられることになるかな」

「ざっとひと月」

と色部は言った。

「公私ともに、いろいろと用があっての。少少手間どろう」

私用というのは何かわからぬが、公用の方は藩主重定から呼び出しの書状がとどいて行くのだとわかっている。ただし重定の用の中身が何であるかは色部は言わなかったし、当綱も聞いていない。

おう、そうだと色部は言った。

「立ち寄ったのは、殿に何か用はないかと思ってな。言いたいことがあれば伝えよう。口頭でもよし、手紙でもよい」

「近ごろ、殿のご機嫌はいかがかな」

当綱はすぐには答えず、故意に話を少しずらした。色部が帰国するからと言伝てをたのむわけがないほど、殿とおれが不仲であるのは知っているはずだろうにと、一瞬色部の申し出の裏をさぐる気持が働いたのだが、色部はただ事務的な用のことを聞いたのかも知れなかった。当綱はこのごろ、重定のことになると必要以上に気を回しすぎる傾きがある。

はたして色部は無頓着な口調で言った。

「ご機嫌はうるわしいはずだ。数日前にとどいた身内の手紙によると、相変らずというか、日日狂せるがごとく乱舞に精出しておられるそうだ」

色部は口辺に、冷笑といってもいいような笑いをうかべた。こういう笑いを見ると、色部が諂諛の家老だという例の家臣たちの評価は疑わしく思えてくる。

だが当綱は、一緒になって冷笑する気にはなれなかった。何とも言えない無力感にとらわれていた。のんきなものだ、と当綱はつぶやいた。しかしつぶやいたとたんに無力感は掻き消えて、当綱は身内が熱くなるほどの憤怒がこみ上げるのを感じた。当綱は大きな声を出した。

「いや、のんきで済まされる話ではないわ」

「さよう、のんきでは済まされん」

と色部も言った。そして本音かどうかはともかく、めずらしく率直な藩主批判の言葉をつづけた。

「この期におよんでも、例によって仕置きはその方ら勝手にやれということだ。ちっともじたばたせぬところは見上げたものだと言いたいが、真実は平時も非常の時も区別がつかんのだて、わが殿には。こういうお方を藩主に戴くと、いたく疲れるの」

「殿に、竹俣がこう申したと伝えていただこうか」

当綱は目の前にいるのが重定本人であるかのように、色部をにらみつけた。

「いまのわが藩は、たとえて言えば病名もつけがたいほどの難治の病いに冒された病人だ。その病根は何ぞといえばじつはわが藩なじみの貧乏で、しかもこの貧乏よくよく見れば横の方に毛が生えているという劫《こう》を経た代物ゆえ、退治しようにも君も臣も無力で何とも打つ手がない。これでは為政者としてまことに恥ずかしい限り、かつは領民に対しても相済まぬ次第ゆえ、いっそ公儀に封土返上の内意をうかがってはいかがか、さようにそれがしが申したと伝えてくだされ」

色部は口辺の笑いをひっこめた。ひと息にまくしたてる当綱を鋭い目で見ていたが、当綱がしゃべり終ると冷静な声で言った。

「美作、本気か」

「本気だとも」

「そんなことすれば、幕府が喜んで封土を取り上げるおそれがあるぞ」

「あるいはしからん」

色部は顔を上げて、じろりと当綱を見た。そして、いや、待てよと言った。

「そうとも限らんか。上杉は名門だ。国替えさせて小さく残すという手に出るかな。そのときは当然多数の家中を召放つことになるが、今度は誰も文句は言わんだろう。すると、藩が小さくまとまって暮らしよくなるということも考えられる」

色部は半ばひとりごとのように言ったが、そこで腕組みを解いて鋭く問いかけてきた。

「美作、ねらいは何だ」

「ねらいなどというものはない」

当綱はそっけなく言った。

「貧乏にも、貧乏藩のやりくりにも飽きただけだ」

色部はまた口辺にうす笑いをうかべた。片手で膝を打ってから立ち上がった。

「わが藩の貧乏も長いからの。みんな飽きておるわ」

「先に、これといった見通しがあるわけでもない」

「そういうことだ。気が滅入るの」

帰る色部を見送って、当綱も廊下まで出た。明日は挨拶なしで早立ちするゆえ、見送りは不要だ、と言って色部は背をむけた。

細長い廊下には、障子を通してさしこむ晩秋の日差しがあふれていた。その中をぎしぎしと踏み板を鳴らして遠ざかる色部の背に、当綱は修理と呼びかけた。立ちどまって振りむいた色部に、当綱は少し声を落として言った。

「さっき申したことは、本気だぞ」

色部はわかったというふうに片手を上げた。そして無言で背をむけた。

二十日ほど過ぎて、帰国した色部から書状がとどいた。所用が出来て帰府が大幅に遅れると書いてあったが、その理由には触れていなかった。だが当綱の目はすぐにつぎの文章に吸いつけられた。色部は、重定に例の件を話したところ、封土返上の内意をうかがう願書の案文をまとめてこちらに送れと言っている、と色部は書いていた。そして最後に、当綱が言ったことを国家老の千坂にも話してみたが、千坂は賛成はしなかったが反対もしなかったと、これはつけたりのようにごく短く記していた。

――どういうおつもりかな。

色部の書状を巻きもどしながら、当綱は封土返上の案文を送れと言ってきた重定の心中を推しはかった。

当綱が封土返上などと少少乱暴なことを言い放った背景には、藩主重定との間のひとかたならない感情のもつれがある。むこうが当綱の顔を見たくないと思っているとすれば、当綱にも、この藩主にはうんざりだという気持があった。

その気持に、相変らずの暗君ぶりを伝える色部の言葉が火をつけたぐあいになって、当綱はカッと頭に血がのぼったのである。あの凡庸な君に痛棒を喰らわしてやれ、と思ったのだ。

だからといって、取りのぼせて口から出まかせのことを言ったわけではない。封土返上は、当綱の胸中深いところにいつとはなく棲みついた考えである。ただそれを表に出すには、当然ながらひろく家中に諮《はか》って同意を取りつける必要があるだろう。その意味では、怒りにまかせて色部にぺらぺらとしゃべったのは軽率だったかも知れない。

――しかし、まさか……。

あれに重定が喰いついてくるとは思わなかったと当綱は思った。こっちのささやかな悪意に気づいて、腹を立てるぐらいが関の山だろうと思ったら、案に相違して重定は封土返上に喰いついてきた。

暗君とばかり思ってきたが、重定にもいっそ領土を投げ出したい気分があり、はからずも当綱の提案に平仄《ひょうそく》が合ったということは考えられないか。あるいは話は逆で、当綱が封土返上を提案したのを好機に、何もかも投げ出して、憎むべき当綱に藩をつぶした男の汚名を着せようとしているのだとも考えられる。

しかし推測がそこまでくると、さすがに考え過ぎという気がして、当綱はにが笑いした。重定にそんな度胸はあるまい、と思うことにして当綱は数日後封土返上伺い書の案文を作成し、色部の手もとまで送った。

しかしそれっきり何の音沙汰もなく、色部ももどらないまま日が過ぎて、師走が近づいたある日、当綱は麻布にいる支藩藩主上杉勝承《かつよし》の使いをもらった。内密に相談したいことがあるので、支藩江戸屋敷まできてもらいたいと勝承の手紙は記していた。

麻布飯倉片町にある米沢藩中屋敷は、もとの広さは一万二千八百坪で、中に鬱蒼と木立がしげる屋敷だが、米沢新田藩を支藩として立てる許しをもらったとき、米沢藩では幕府から拝領しているその敷地のうちから、二千八百坪を分けて新田藩の江戸屋敷とした。

由来はそうだが、いまの外見は単に本家、分家が隣り合っているように見える。当綱の供をしてきた者が訪《おとな》いをいれると、すぐに人がでてきて、当綱は主の勝承が待っている奥に案内された。

「寒い日に呼びつけて済まんの」

と勝承は言った。色白で面長、品のいい顔をした藩主だが、風貌からも言葉のはしばしからも、時おり鋭気のようなものが伝わってくるのは、このひとが若いせいであろう。上杉勝承は二十九歳で、従兄の重定より十五も齢若い藩主である。

にわかに冷えてきたが、このぐらいの寒さは何ともない、と当綱は言った。

「で、本日は何か、火急の用でもござりましたでしょうか」

「うむ、その用だが……」

と言ったものの、勝承は色白な顔に困惑したような表情をうかべた。

「じつはこの秋以来、本家の者たちから一再ならず異な陳情をうけておる」

「ははあ、陳情……」

当綱は目をみはった。

「それはどのような」

「本家の殿に尾張さまから隠居をすすめてもらうよう、わしに骨折ってくれという訴えだ」

これにはわけがある、と勝承は言った。

「今年の五月に重定どのが帰国された折、わしはまだ国元におったゆえ、内密にお会いして忠告をひとつ申し上げたのだ。そろそろ隠退して、国のために人心の一新をはかるべき時機ではないかという趣旨のことだが、露骨に言ったわけではない。それとなく申し上げた」

「ははあ」

「それと申すのも、その方や千坂らが骨折って大悪人の森をのぞき、さあ今度こそ国の建て直しがはじまるぞと見ていたが、何事もはじまらぬ。その原因が奈辺にあるかはわしにもおおよそは読めておったゆえ、これは見過ごすべきであるまい、見過ごしては国の大事を招くかも知れぬと思い申し上げた次第であった。出すぎたようではあるが、こういうときに意見を言うのがわが家の勤めと、亡き父に言われておる」

「当然でござる。で、わが殿は何と答えられましたか」

「迷惑そうに聞いておって、考えておこうと言われただけだったが、どうもそのときのことが藩内に洩れた形跡がある。いや、申したような陳情がくるからには、そうとしか考えられぬ」

「わが殿が、まわりの者に愚痴でもこぼしましたかな」

当綱は言って少し考えこんだが、すぐに顔を上げた。

「新田の殿にお骨折りを願い出たのは、どのような者たちでしょうか。秋のはじめのころ、国元の者十名ほどが尾張家に陳情するということがありましたが、そのときの者たちでしょうか」

「美作は、わしが言っておるこの話は初耳か」

「むろん、初耳です」

やはりな、と勝承は言った。

「かの者たちのわしに対する訴えは内密のことゆえ、誰それという名前は言いにくい。しかしその中には六人年寄の者がおり、三手の頭もいて、秋口の陳情の者たちとは顔触れが違うようだ」

「ははあ」

「それはさておき、不思議なのはその中に本家の重役が一人も加わっておらんことだ。家老もいなければ侍頭もおらぬ。これを美作はどう思うな」

「なるほど、そうですか」

当綱はまた沈黙した。しばらくしてつづけた。

「おそらく上の役持ちどもは、日ごろわが殿に接触しているだけに、殿のお人柄というものをのみこんでおるはずです。ゆえに殿のご気性から推して、隠退をすすめても無駄と思っておるので、決して藩の行末に無関心だということではなかろうと思います」

ひと呼吸おいてから、当綱はさらに言った。

「それに、もしや隠退ということになれば、直丸さまがつぎの藩主ということになりますが、あのお方は利発ではあられても十三歳、まだ子供でござる」

「そんなことはあるまい。十三といえばりっぱに跡つぎが勤まろう」

勝承は軽くたしなめる口調で言ったが、そこで本題に入るという顔いろになった。

「ところでさっきの話にもどるが、さきの尾張家への陳情につづいて、わしにも今度のような訴だ。えがくるのは、国元もいよいよきわどいところにさしかかり、しかも歯に衣着せずに言えば、家中の者たちは藩主も重役も頼むに足らずと思い、気持がせっぱつまってきたのではないか。さように思うゆえ、わしとしても出来ればかの者たちの気持を汲んで、尾張家に仲介の労をとってみたい。しかし藩に責任のある重役の意見をひとつも聞かずに事をはこぶのもためらわれて、そなたを呼んだ次第だ」

「それはぜひともおねがいしなければなりませぬ」

当綱は低頭して言った。余人にあらず支藩の藩主から相談をかけられたからには、当綱としてはそう答えるしかない。

「それがしのみならず、新田の殿のお話をうかがえば国元の役持ち一同、一議におよばず同様のおねがいを申し上げることと思います。支侯さまのお骨折りをいただいて尾張さまからお言葉があるということになれば、わが殿としてもこれをむげに打ち捨てには出来ますまい。ただあのご気性ゆえ、ただちに隠退を受けいれるとは思えませんが、少しは目ざめて仕置きに心を配るお気持になられるかも知れません」

「さて、それはどうかの」

重定のことは知悉《ちしつ》しているというふうに、勝承はふと顔ににが笑いをうかべたが、すぐに表情をひきしめた。

「わしも、これで本家がただちに隠居するとは思わん。しかしあのお方は何も言わねばそれでよしと思い、まわりに目をむけることはせぬ。ゆえに、実情はこうであるとかたわらの者が時どき面《おもて》を冒して言うことが肝要ではないかと思う」

「至言です」

「では、来春重定どのが帰府されたらすぐにも勧告をいただくよう、尾州家に頼んでみようか。それでよいか」

よしなに頼み入りますと当綱は言った。

辞去して外に出ると、屋敷のまわりには暮色が立ち籠めていた。門前の道は人の姿も稀で時たま通る人の顔が白っぽく見える。供の中間が馬繋ぎ場から馬をひき出してくるのを待ちながら、当綱はうす闇に沈もうとしている麻布の町を眺めた。

——尾張さまから勧告してもらっても、仕方あるまい。

と、当綱は投げやりな気分で思った。米沢新田藩藩主の親身な支援ぶりは尊いものだった。本家のことなど知らぬと言ってしまえばそれまでのことである。だが支侯勝承はそうせずに家中、領民の意を汲んで藩政建て直しに労をいとわず力を貸そうとする。

だが当綱には、藩が、立ち直る機会をどこかでつかまえそこなったような気がしてならなかった。つかまえそこなったそのものは、藩の上を通りすぎてしまっていまははるかむこうにうしろ姿が見えているばかりである。皮肉なことにその状況は森を処分したあとに、明瞭に見えてきたようでもあった。

——つまり……。

もはや手遅れということだ、と当綱は思った。勝承が画策している藩主に対するゆさぶりも、とどのつまりはこれぞといった成果を生むことなく終るのではないか。

新田藩の門扉の外に、門番が一人じっと立ったまま、道に出てしまった当綱を見送っている。門番を振りむいて扉をしめてよいぞと言おうとしたとき、当綱は門の上の高い空にわずかに赤く日のいろをとどめている雲があるのに気づいた。当綱も以前は藁科松伯の、近ごろは細井平洲の門弟であり、いささか詩情を解する。はかなげにうすいふゆ雲を見上げていると、塀を回ってようやく馬を牽《ひ》いた中間が現われた。

国者の中間は、片手にまだ灯の入っていない提灯をさげていて、これを借りたので遅くなったと詫びた。

「暗くなりましたら、途中で灯を借ります」

よしと言って当綱は馬に乗った。馬を歩ませて間もなく、うしろで門をしめる音がした。初冬の寒気がひしと当綱をしめつけてきた。

十四

師走の半ばが過ぎたころに、上杉勝承から本藩上屋敷の竹俣当綱に、さきに相談をかけた一件を尾張藩江戸家老まで申し入れたという連絡があった。しかし窮乏にあえぐ米沢藩の今後にかかわるような動きはそのことひとつだけで、当綱にはほかに国元から格別の音信もなく、帰国した色部ももどらないまま年が暮れた。

ところが宝暦十四年と改まった年が明けて早早に、当綱は前触れもなく帰府した色部におどろかされることになった。

その日当綱は軽い風邪気味で、執務を終えるとすぐに自分の小屋（役宅）に帰り、召使いの老爺に粥を炊かせた。熱い粥を食して早目に床につき、風邪を追いはらうつもりだった。するとその夜食が終るのを見はからったように表の戸がほとほとと鳴り、当綱が自分で出てみると供を連れた色部が立っていた。まだ旅姿のままだった。

「おう、いまおもどりか。ごくろうでござった」

「ただいま帰り申した。長長の留守でご迷惑をおかけした」

色部は固くるしく言ったが、ちょっと奥をのぞくようなしぐさをして、誰かいるかと言った。

「いや、わし一人だ」

「では、着換えてまたくる」

「急用があるらしいな」

当綱が言うと色部はうつむいた。そして顔を上げると、今度は外に立っている供の男をちらと振りむき、一歩当綱に身を寄せてきてささやいた。

「例の件を手配するように、殿に命ぜられてきた。で、まずなにはともあれ貴公に話さねばならんと思ってな」

「例の件だと？」

当綱は一瞬意味がわからずきょとんとしたが、すぐに色部の言っていることが腑に落ちた。色部は封土返上のことを言っているのだ。

当綱は衝撃をうけた。

「まさか」

「いや、そのまさかだ。ここに……」

と言って、色部は手のひらで自分の胸を叩いた。

「殿から預かってきた内意伺いの書面がある」

そもそもは自分が言い出したことなのに、色部の所作を見て当綱は背筋に戦慄がはしるのを感じた。いよいよその時がきたかと思いながら、修理、ちょっと待てと言った。

「そのことならわしもいますぐに聞きたい。なに、出なおすことなどいらん。濯《すす》ぎを出すゆえ、上がってくれ」

「さようか、言われてみると改めてたずねるのも億劫だの」

色部はそういうと背中の打飼いをはずした。そのまま戸の外に出て供の者に打飼いを手渡し、何事か話しかけている。その間に当綱は老爺を呼んで濯ぎの湯を出すように言いつけ、自分は居間にもどっていったん埋《い》けた火鉢の火を掘りおこした。そうしながら、そうかと思った。

——とうとう、殿も決心されたか。

公儀に領土と領民を返納すると決めた藩主の心境がどのようなものかは、当綱には想像もつかなかったが、ただ決心したからには、凡庸の藩主重定の目にも、ついに進退きわまった藩の全貌がくっきりと見えたということだろうと思った。

そうだとすれば、皮肉な話だが封土返上によって、悪名高かった重定の米沢藩仕置きが掉尾《とうび》をかざる大善政で幕を閉じるということになりはしないかと思いながら、当綱が豆粒のような熾火《おきび》をひろいあつめていると、色部が部屋に入ってきた。

「途中、寒かったろう」

当綱がねぎらうと、色部は山の中より関東の野原に出てからの風が寒かったと言った。色部の顔は雪焼けがして赤黒く光っている。二人はそれぞれに座を占めると、改めて挨拶をかわした。

当綱は、火桶に手をかざしてくれとすすめた。自分の風邪けのことはすっかり忘れていた。だが色部はそれには答えず、いそがしく自分の懐をさぐった。

「年内にはもどる心づもりをしておったのだが、要するにこれに手間どって……」

言いながら、色部は懐から薄い油紙の包みをひっぱり出した。そして、内意伺い書だと言った。

「ひそかにという殿のご命令なので、封を切るわけには参らんが、中身は貴公が草した案文そのままだ」

「ふむ、するとそれをどこに持って行くことになるな?」

当綱はたずねた。

「まさかいきなり評定所にさし出すわけではあるまい。とすれば、幕閣のしかるべきおひとに会って内見を乞うということになるのかな。殿はどう指示された」

「いや、その前にだ」

色部は一度出した油紙の包みを、また慎重な手つきで懐に押しこみながら言った。

「尾張藩の殿宗睦さまにお目通りをねがって、指図をうけろという仰せだ」

「尾張藩の指図？」

当綱は呆然として色部を見た。

「それはどういうことだ」

「そういう手順は尾張がくわしかろうということだが……」

「ばかな」

と当綱は言った。

「そんなことをしたら、尾張の殿に伺い書提出をとめられるぞ」

「わしもそう申したのだ。ところが殿は……」

色部は消えかかってろくに赤いものも見えない火桶に手をのばした。

「それも考えられるが、わが藩のこともわし自身のことも誰よりもよくわかっておるのは尾張だ。その判断を仰ぎたい。そうせずに公儀に伺い書を差し出しては、あとに悔いが残るかも知れぬ、と言われた」

「悔いが残る、と？」

どこに悔いる余地が残っているというのだ、と当綱は思った。

あの殿がついに腹を決められたかと、さっきは身もひきしまる思いだったが、結局は凡庸の君主は凡庸の君主でしかなく、ご自分では決められずに最後は尾張藩にゲタをあずける気になったらしい。しかしそれで、藩はわが身を捨てて領民を救済するただ一度の好機を潰すことになるのだ、と当綱は思った。

「要するに臆病風に吹かれたのだな」

「そう言ってしまっては身もふたもない」

色部は重定を弁護した。

「殿のお気持にも無理からぬものがあると、わしなら思うところだ。なにせ父祖以来の藩をおのが代で投げ出そうというのだからな。一世一代の決心をつけたつもりでも、お気持は大いに揺れるだろうて」

「………」

「それに美作はそう言うが、わしは尾張藩がかならず伺い書の提出を阻止するとも思っておらん。殿が言われたように、尾張藩はわが藩のことをよく知っておる。よく決心をつけたと、伺い書を出すことを支持することがないとも言えまい。いずれにしろこのたびのような大事を決行するにあたっては、尾張藩のように、藩の外にいてわが藩をよく知る立場の者の冷静な判断を聞くということがあってよい。これがわしの考えだ」

色部はひと息に言ったが、言い終ると急に疲れた顔になり、はやくも立ち上がるそぶりを見せた。

「ま、しかしじっさいには、先方にあたってみぬことにはわからんということだよ。ただわしとしては殿のご命令にしたがうしかない」

「わかった。ところで今度のことだが……」

当綱は色部をじっと見た。

「殿と貴公、このおれ。この三人のほかにも知っておる者がいるのかな」

「おう、それを話すのを忘れた」

色部は上げかけた尻を落として、坐り直した。

「殿のご指示はひそかにやれということだった。江戸に行ったらまっすぐ尾張屋敷に駆けこめ、美作にも言うにはおよばんという言い方をされたが、わしとしてはそうもいかん。封土返上伺いがすんなりと幕閣まで上がった場合、ほかの者は知らなかったでは、あとで物議を醸す」

「さようさ、大いに物議を醸すだろうな」

「千坂にちょっぴり洩らしたことは、さきの手紙に書いたはずだ」

と色部は言った。当綱は読んだと言った。

「そういういきさつもあるからして、殿のご命令があったあと、大いそぎでちょっとした会合をひらいたのだ。場所は千坂の屋敷で、あつまったのは千坂、芋川、国元に帰っている広居、それにわしの四人だ」

「打ち明けたか」

「残らず打ち明けた。貴公が書いた案文も手もとにあったゆえ、読み上げた。で、かれらがどう言ったと思うな?」

「二、三のきびしい反論はあったろう」

「いいや」

色部は首を振った。

「一人も反対せなんだ」

「ほう」

「ここまでせっぱつまっては、いさぎよく封土を返すのが筋ということだったな」

二人は顔を見合わせた。しばらく無言で顔を見合ってから、突然に色部は、ではわしはこれでと言って腰を上げた。土間でもう一度つめたい足袋、わらじをつけてから、色部は腰をのばして見送りに立った当綱を振りむいた。そしてこれが近ごろの国元の偽りない姿だと言った。

「本音を言えば、千坂たちもいまや打つ手に窮して藩の仕置きを投げ出したい気分になっておるのだろうて。そして仮に千坂らが投げ出しても、そのあとを引き継ぐ者など誰もおらん。尾張さまにお会いしたら、そのへんのことも飾りなく申し上げるつもりだ」

当綱は部屋にもどった。誰もいない部屋にぼんやりと立っていると、いつの間にか顔が熱くほてり、身体が重くなっているのに気づいた。色部と話している間は風邪けを忘れていたが、風邪は消えたわけではなく、身体の中でいっとき鳴りを静めていただけだったらしい。しかも今度は、背筋のさむけが消えたかわりに、いよいよ熱が出るところらしかった。

当綱は火桶のわきに中腰にしゃがむと、火ばしで灰をかき回した。燠火は燃えつきたらしくて、いくらかき回しても赤い火は出てこなかったが、そうしていると火桶からほのかなあたたかみがつたわってきた。

通りがかりにその姿を見つけてみかねたのか、表の戸締りをしてきた老爺が、火をお持ちしましょうかと声をかけてきた。

「いや、もう寝るから火はよい。おまえもはやく寝ろ」

と当綱は言った。挨拶をして台所の自分の部屋にひきとる老爺の気配を聞きながら、当綱は燠火をさがすのをあきらめて火ばしを灰に突き刺した。

——色部はああ言ったが……。

尾張が版籍返納をゆるすはずがない、と当綱は思った。それは米沢藩自身が決めるしかないことで、いかに親しいとはいえ、他藩が容喙出来る事柄ではない。相談をうければ阻止するよりほかに途がないのは、やはり自明のことだと当綱は思った。

——殿はそれを承知の上で……。

色部を尾張屋敷にやるのだろうか、というのが最後に残った疑問だった。

当綱は行燈《あんどん》の灯を消し、間の襖をあけて暗い寝所に入って行った。兆しはじめた熱はいまや全身をゆるやかに覆って、四肢を気だるく冒しはじめているようだった。


色部が尾張藩屋敷をたずね、藩主の宗睦に会ってから数日たった一月十三日、竹俣当綱は尾張藩の老臣石河伊賀守から使いをもらって、市ヶ谷御門外の尾張藩上屋敷に行った。

半白の髪をした石河は顔見知りの老臣である。柔和な顔で季節のことなどを言ったあとで、石河は色部の持参した内意伺い書に触れてきた。尾張藩主は色部の言うところを聞いたが、即答を避けて伺い書を預かった。

「さてわが殿が申されるには、貴藩の窮状は委細承知した。しかしながらお万端にわたって倹約につとめられ、公辺筋の勤めに滞りを来さぬことはむろん、家中、領民ともに別心なきよう取りはからうべく、藩重役はいま一段の力を尽されよというお言葉であった」

当綱は低頭して、ご配慮を煩わし申しわけありませぬ、と詫びた。予想どおりの尾張藩の対応だと思った。

すると石河が、そばに置いてある手文庫から書類を出した。

「この内意伺い書は、竹俣どのが草したものだそうですな」

「ちょっと拝見」

と当綱は言って、書類を受け取った。

「年来蔵元逼迫し政事相立たず候えば、国人苦しみ候間」、長い間倹約につとめてきたけれども効果は現われない。漸く心力およばず、是非なき次第ゆえ「領知差し上げ国人お救い下されたく、公儀へ願い奉り候ほか御座無く」という伺い書は、当綱の案文そのままではなかったが、ほぼ似たものだった。

当綱は顔を上げた。するとさっきまでとは打って変った石河のきびしい表情にぶつかった。石河が言った。

「これは私見だが、貧民と貧士を置きざりにして、君臣ともに国を逃げ出そうというのはいかがなものか。これではその後に封じられる者も決して喜ぶまい」

当綱はもう一度頭を下げた。風邪はなおったのに身体が恥辱感でじわりと熱くなるのを感じた。

十五

版籍返納伺いに対する尾張藩主宗睦の意向を藩主に伝えるため、色部照長はふたたび寒風の吹く道をとって返して帰国した。そしてそのまま何の音沙汰もなかったが、二月の下旬になって色部は、去る二月十四日に米沢城二ノ丸で重臣会議をひらいた旨を、当綱に手紙で知らせてきた。

江戸にいる当綱をのぞく四人の家老と、五人の侍頭があつまって会議をひらいたのは、その前の八日に、国家老の千坂、芋川、江戸家老の色部、広居の四名が、藩主重定に辞職願いを提出したからである。

おどろいた重定は、願いを出した家老たちをなだめるとともに、重臣会議をひらいて善後策を協議するように命じた。十四日の会議はそうしたいきさつがあってひらかれたのだが、相談の結果千坂が一般政務を見、本庄職長と須田満主が御続道（財政）を監督することで政務にも参与することになった。本庄と須田がいわば貧乏籤《くじ》をひく形で政務にかかわることになったのは、会議の冒頭で本庄が家老の辞職に強く反対したためで、本庄は自分の意見の責任を取らざるを得なくなったのだ。

色部の手紙はそう記し、なお辞職願いを出した芋川正令は重定の慰留を受け入れず、翌九日から出仕をやめ、十四日の重臣会議にも出席しなかったと結んでいた。

四人の家老がなぜ辞職願いを出したか、色部はその理由を記していなかったが、当綱には聞くまでもなくわかった。以前に色部も言ったように、ここにきてみんな匙を投げたのだ。政務をみることに厭《あ》きたと言ってもよかろう。家老として藩政の舵をとる職分には困難もつきまとうが行政家としての喜びがないわけではない。あえて言えばその上に、自分の力が藩を動かしていると思う権勢家の満足も加わるだろう。だがそれは平時のことである。いまの時期に、米沢藩の政治の指揮をとるのは、苦痛以外の何ものでもないのだ。

——きっかけは……。

多分、封土返上騒ぎだったろう、と当綱は思った。

当綱が以前色部に言ったように、たとえれば藩は病人である。その病人があちらが痛いといえばとりあえずあちらを手当てし、こちらが痛いといえばこちらを手当てしてどうにかここまでやってきた。しかし封土返上が問題になったあたりで、誰の目にも藩の正体があきらかに見えてきたのだ。藩の貧窮がもはや手当てのきかないところにきていることが……。

当綱は顔を伏せて色部の手紙を巻きもどした。空は朝から晴れて、中庭から差す日が昼すぎのいまも障子をあかるく照らしていた。光は十分に強く、障子をあければ中庭にはほぼ満開の梅も見えるというのに、障子戸を鳴らして時どき冬のような荒荒しい風が吹きすぎる。そのたびに乾いた地面を風にあおられて走る落葉の音までして、部屋の内にいると季節はまだ冬かと錯覚するようだった。火桶の火が消えて、執務部屋に日暮れのようなつめたい空気が入りこんでいるせいでもあろう。

——小屋にもどって……。

昼飯を喰わねば、と当綱は思ったが、食欲は少しも湧いてこなかった。しかし午後は、藁科松伯と一緒に直丸君に会うことになっていた。会見は長くなるかも知れず、その前にやはり腹に何か入れておくほうがよさそうである。

気持にはずみをつけるために、当綱は色部の手紙を勢いよく私用の手文庫にほうりこんで立ち上がった。

若殿附きの近習にみちびかれて、御学問所を兼ねる書院に入り、直丸がくるのを待つ間に、竹俣当綱はふと思い出して言った。

「殿の出府の日取りが決まったと、国元から通報があった」

「ははあ、いつごろに相成りますか」

「四月はじめに国元出発というご予定のようだ」

「旅にはよき季節でござりますな」

と松伯は言った。

「昨年ご帰国の折はだいぶ雨に降られたと申しますが、今年の板谷山道は青葉若葉で心地よいことでござりましょう」

松伯はしばらく帰国していない国元の山山を思いやるような口吻で言ったが、当綱はそうだのと気のない返事をしただけだった。

——殿が帰府なされば……。

また腹のさぐり合いのような日日がはじまることになろう。うっとうしいことだと思ったとき、直丸が部屋に入ってきた。

「待たせた」

と直丸は言った。そのように松伯が日ごろしつけているとみえ、そう言った直丸の態度は自然で、しかも威厳があった。だが昨年にくらべて背丈がのびたとは思えず、藩世子の手足は細く、面長な顔は女性的にも見える。

顔を上げて、当綱は本日お目通りをねがったのはと言った。

「これにおります藁科が、近年若君のご学問は進歩いちじるしく、自分が講ずべきことはそろそろ終りに近づいてきたと申します。そこでいよいよ、藁科に加えて新たに世に知られる大儒をむかえて師となし、若君がさらにご学問を深められることはむろんのこと、やがては人民の上に立たれる御身として、ひと回り大きく成長を遂げられるための契機となすべき時が到ったのではないかという相談をいたしました。もとより……」

と言って、当綱はひと息ついた。

「そのときが参りますればわれらから殿にねがってその段取りをいたすことにござりますが、殿が帰府なされる前に、まずもって若君のご意向をうかがっておくべきであろうと、このようにそろって参上いたした次第です。委細は藁科より申し上げます」

当綱が口をつぐむと、一礼して松伯があとをひき取った。

「ご家老よりただいま申し上げたとおりでござりますが、なおそれがしよりあえて申しますれば、世子さまはやがては苦難の藩をみちびかれて、米沢の地にかつての上杉の光栄を呼びもどされることになる臥竜《がりよう》でござります。そのお方をこののちともみちびき教えるには、この松伯はもともと力不足、学問識見ともにその役目に堪える天下の儒者をお迎えせねばと思い、ご家老に申し上げたところです」

「天下の儒者とはどなたか」

と直丸が言った。澄んだ目に少年らしい軽い好奇心が動いたように見えた。

「両名の言うところを聞くと、もはやその心あたりがありそうに思われる」

「ござります」

と松伯は言った。声に弾みが現われた。

「そのお方は、細井平洲先生と申されます」

藁科松伯が細井平洲に出会ったのは六年前である。宝暦八年の秋のその日、松伯は所用があって外出した帰りに両国橋の近くを通った。そして橋袂のそばに黒山の人だかりがしているのを見て、何事かと寄って行った。

人だかりの中に、人品いやしくない男が立っていて、何事か講演していた。男の齢は三十前後、骨組みのしっかりした身体つきで、地面を踏みしめた足は微動もしない。

しばらく耳を傾けているうちに、松伯は軽いおどろきを感じた。男の講じていることが経書の、それも礼記の一節ではないかと思われることにまずおどろき、つぎにその講演をあきらかに市井の女房と思われる女たちがまじる聴衆が、粛然と聞いていることにまたおどろいたのである。

むつかしい書物のことを話しているのに、男は誰にでもわかる平明な言葉を用い、その上ごく身近なところから豊富にたとえをひっぱってきて講義するので、聴衆がひきつけられているのだと思われた。

——これが辻講釈か。

と松伯は思った。話には聞いたことがあるが、見たのははじめてだった。松伯は去年江戸詰を命じられて上府したばかりで、まだ江戸の見聞が狭かった。

しばらく聞いて行こうかと松伯が思ったのは、物めずらしさ半分、講釈人に対する興味半分といった気持からだった。用事は終って、いそいで藩屋敷に帰るにはおよばない。松伯は快く耳に入ってくる男の弁舌に耳を傾けた。

男は噛んでふくめるように、ゆっくりと話していた。押しつけがましく大声でまくしたてることもなく、能弁だが平板という退屈なしゃべり方でもなく、男は時にはふと言葉を切って沈黙したり、語尾がひとりごとのような形で消えるにまかせることさえある。だが講演はふたたび快い音声を取りもどして耳にせまってくる。松伯はいつの間にか話にひきこまれて、立ち去りがたい気持になっていた。

それがなぜなのかは、間もなくわかった。男の講演にはいま自分が話していることを、聴衆の一人一人にわからせたいという静かな情熱とでもいうべきものがあって、人人の気持を話にひきつけているのだと思われた。男の話は聴く者の胸にしみ通ってくる。

「あのお方は、どういうおひとでしょうか」

松伯は隣に立っている白髪の武家にたずねた。たずねずにいられないものが、講演する男にある。聞かれた武家は微笑して松伯を見た。風体、年齢からみて、松伯を一家を構えるほどの学儒とは思いもよらず、学問好きの若い医師とみたようである。

「細井平洲先生と申される」

武家は十分に尊敬のこもる声音でささやき返した。

「名古屋の中西淡淵の門弟だったそうだが、あの若さで折衷学派で一家をなしておられると聞いた」

「さようですか」

松伯は深くうなずいた。小声で礼を言って、また講話を聞く姿勢にもどった。

細井平洲は、人の子の親に対する礼について話していた。話は相変らずゆっくりしているが少しずつ熱気を帯び、聴いている松伯の胸にも惻惻と入りこんでくる。ふと気がつくと、まわりに目がしらをぬぐっている女房が一人ならずいた。うつむいてしきりに鼻をすすっている男もいる。ここには親に死にわかれた者もいれば、親不孝もいるだろうと、松伯は泣いている男女の気持を漠然と忖度《そんたく》したのだが、なおも話がすすむうちに、何としたことだろう、松伯は自身も次第に目がしらが熱くなってくるのを感じた。

じっと堪えて耳をかたむけていると、突如として平洲が大声を発した。語ってきたことが、最後になってそれだけの音量を必要としてほとばしったという感じがした。その声は松伯の肺腑にとどいた。大喝といってもいいその声のあと、平洲は表情も声音もつねのいろにもどってなお二、三言葉をつぎ、おしまいはほとんどそっけない感じで講演を終った。しかしそのあとに、何ともいえない快い気持の充足感が残ったのを松伯は感じた。

「おそれいります」

散りはじめた聴衆の中で、松伯はさっきの武家に呼びかけた。

「平洲先生のお住居をご存じありませんか」

「知っておるとも」

武家は足をとめた。そして足ばやに広小路を横切って米沢町の町並みにむかっている平洲のうしろ姿を見た。

「先生のあとを追って行けばすぐにわかるが、お住居はそこの町の奥、浜町河岸のそばの山伏井戸と申すところにある。そこに嚶鳴館《おうめい》という家塾をひらいて子弟を教えておられる」

礼を言って、松伯は武家の言うとおり平洲のあとを追おうとしたが、今度は自分が白髪の武家につかまった。

「平洲先生の講演を聞くのははじめてかの」

「はい、はじめてです」

「わしはこの近くの屋敷に仕える者でな、時どき聞きに参る。そのつど心を洗われる思いをいたす」

「さもありましょう。それがしも感動いたしました」

「細井平洲先生は、いまに天下の大儒となられよう」

と武家は言った。きっぱりとした声に聞こえた。

そのとき上野の山の方から矢のように走ってきた日差しが、二人のいる町のあたり一帯を照らした。うす雲ながら雲が多くて、それまで照ったり、雲にかくれたりしていた秋の日が、日没のきわになって空が西からきれいに晴れわたり、一日の終りをかざる光をはなちはじめたところだった。

松伯と武家は、言い合わせたように平洲が姿を消したあたりに顔をむけ、その町が金色にかがやくのを見まもった。

その日松伯は山伏井戸の嚶鳴館をたずねて平洲と師弟の仮約束をかわし、後日正式に束脩《そくしゅう》を入れて門人となった。そして三年後に竹俣当綱が江戸家老として赴任してくると、やがて当綱にもすすめて平洲門の門人にした。

「今日のわが国の儒学は幕府が官学としております朱子学、伊藤仁斎にはじまる古義学派、以上の両派に反対する荻生徂徠がとなえた古文辞学派。この三派が大きな流れをなしております」

と松伯は直丸に言った。

「しかしながらこの三派は自派の正統性に固執するあまり、ともすると他派を異端視して攻撃するという思わぬ偏狭さを示すことがありますが、折衷学派はそういう学派の偏りに与せず、それぞれの長所を採用して総合的な学風を確立した一派で、平洲先生は師の中西淡淵先生からこの学理を受けつぎました。而《しこ》うしてこの折衷学派のもっとも大いなる特色は……」

松伯は言葉を切って、世子に微笑を向けた。

「訓詁の学識よりも、修身経世の実践を尊いといたすところにござります」

「うん、松伯先生の言わんとするところがわかったぞ」

直丸の顔が紅潮した。沈着な少年がめずらしく興奮を面に出したのだ。

「細井平洲先生に、ぜひとも教えをうけたいものじゃ。竹俣、松伯先生、よしなにたのみいる」

これで碩学細井平洲を藩世子の師として招く道がひらけた、と当綱は思った。そしてそのことは、いつかはわからないが、そのときに藩が存続していれば藩のために新しい道をひらくことにもつながるのではないかという、予感めいた思いをはこんでくるのが不思議だった。それはともかく、平洲招聘で藩主重定を説得するのは、さほどむつかしくはあるまい。

当綱がそうした考えをめぐらしている間に、松伯はなおも直丸に平洲のことを物語っていた。平洲には「詩経古伝」という十巻の大著があり、それは詩経の原典批判であること、あるいは平洲は四年前から伊予西条藩主松平頼淳《よりあつ》に賓師として招かれ、経書を講じていることなどである。余談をつけ加えると、この松平頼淳は紀州家徳川宗直の次男で、のちに宗家をついで九代紀州藩主治貞となる人である。

「江戸の嚶鳴館、諸国の門人を加えると、平洲先生の門人はいまや一千人を越えると言われております」

松伯がそうしめくくったところで、当綱は重定が帰ってきたらさっそく話を取りまとめ、平洲招聘に全力をあげることを約束して、松伯ともども書院を辞すために挨拶をした。

すると一緒に立って二人を書院の入口まで見送ってきた直丸が、竹俣、と当綱を呼んだ。

「当節の、わが藩の借財はいかほどになるか」

「されば」

当綱は書院の外の畳敷きに膝をおとした。少考してから言った。

「それは、若君にはまだご承知なくともよろしいのではないでしょうか」

答えがないので顔を上げると、直丸がきびしい目で自分を見ていた。当綱が思わず言い直そうとしたのを遮るようにして、直丸が言った。

「竹俣、直丸が若年とみて侮るか」

「あ、いや」

当綱は顔がどっと熱くなるのを感じた。

「そのようなこころはまったくございません。なにせ藩の恥ともいうべき大借金のことゆえ、さように申しましたが、それが仰せのごとくに聞こえたとすれば身の不徳……」

熱いだけでなく、滲み出た汗が顔面を濡らしはじめていた。

「わが藩の借財は、ざっと十数万両と承知しております」

「竹俣、らくにいたせ、懐紙を使え」

顔面汗だらけになった当綱を見かねたらしく、直丸が言った。語気鋭く咎めたさっきの気配は消えて、声はやわらかさを取りもどしている。

「十数万両か」

当綱の言葉は、やはり少年世子に衝撃をあたえたようである。少し沈黙してから言った。

「それほどの大金だとすれば、わが藩が金を借りたのは一人ではあるまい。誰にいかほど借りておるか、竹俣は承知しておるか」

「正直のことを申し上げます。ただいま相わかっておりますのは江戸の大金主三谷《みつや》三九郎におよそ三万両、同じく野挽甚兵衛に一万六千両ぐらいで、そのほかの詳細は竹俣怠慢にして承知しておりません。これより下がってただちに勘定頭に会い、明日詳細を記したものを若君までとどけるようにいたします」


表御殿に帰ってしばらく廊下を歩いてから、当綱は立ちどまってまた汗を拭いた。格別暑い日でも、またその季節でもないのにしきりに汗が出る。

その様子を、一緒に立ちどまって眺めていた松伯が言った。

「ご家老も、一本取られましたな」

「一本取られた」

当綱は正直に言った。

「いや、おどろいた。直丸さまはもう大人であられる」

「むろんです」

松伯はそっけなく答えた。私はもっと前にそう言っている。ただあなたが認めなかっただけではないのかと言っているようだった。だが当綱は、松伯のそっけなさが少しも気にならなかった。喜びが、身体の奥から沸沸とわいてくる。

「殿に隠退してもらわねばならんな」

当綱は松伯に言い、前後の気配をたしかめてから少し声をひそめた。

「早ければ早いほどいい」

いつかもそう考えたことがあったな、と当綱は思った。それは藩主に森処分の正当性を認めさせ、松伯ら同志と小屋で祝盃を上げたときのことだ。

——だがあのときは……。

藩主重定の愚物ぶりに失望し、腹を立てていた。腹立ちまぎれの思いつきという一面がなかったとは言えない。だがいまは確信をもってそれを言うことが出来た。そのことが、当綱はうれしかった。

松伯が小声で言った。

「しかし殿はまだお若い。容易に藩主の座を譲りますまい」

「わしが引きずりおろす」

ずばりと当綱は言った。

宝暦十四年四月三日、米沢藩主重定は参勤のために米沢を出発して江戸にむかった。

十六

米沢藩が幕府に封土返上の内意伺いを提出しようとした宝暦十四年は、六月に改元されて明和となったが、この時期、というのは主として享保以降宝暦にいたる五十年ほどの間のことだが、この時期は幕府をはじめ諸国、諸藩が一様に領国の経営にくるしんだ時期だった。

将軍に就任して数年しか経ていない徳川吉宗が、幕府財政の窮乏を諸国大名に訴えて、参勤の在府期間を半年免除するかわりに、石高一万石につき米百石を幕府に献じてくれるように頭を下げてたのんだというのは有名な話だが、たのまれた大名たちもひとに米を分けあたえるほど裕福なわけではなかった。それぞれに借財と家臣領民の不満をかかえて、藩財政のやりくりに苦慮していたのである。

吉宗が江戸城の大広間で諸大名に頭を下げた享保七年は、幕府が寛文六年に出した山川掟《さんせんのおきて》を解除して、再度新田開発の奨励に転じた年でもあった。

寛文の山川掟は、過剰な新田開発の進行によって、河川流域の荒廃がすすみ、災害が多発するようになったので、新規の開墾を禁じ、荒れた流域、山野に植樹して原型を回復するよう命じた法であるが、元禄という華美な時代をはさむ六十年ほどが経過する間に、封建の仕組みをささえる経済が様変りして、いそいで新田開発を奨励せざるを得ない時代になったのであった。

しかし封建の仕組みを成り立たせていた経済の様変りの中には、米中心の財政が成り立ちにくくなっているという時代の流れがふくまれている。領民が米を作り、藩はこれに年貢をかけて藩経営の費用と領主、藩士の暮らしの費用をまかなう。江戸開府以来のこの素朴な収支関係は、実際には考えられたほど堅固なものではなく、稲は豊作でも財政収支は赤字になる藩も出るという、はなはだ不安定なものであったのである。

こうした変化の背後には、領民の力が強くなって、為政者側がぎりぎりまで年貢を徴収することがむつかしくなったという事情もあるだろうが、農民や商人の関心が、米だけでなく、利益を生むということでは米よりもうま味のある綿、菜種、蠟、煙草などの換金作物に向いてきたことも大きな理由として数えられるだろう。こうした換金作物の栽培は、ひとびとの暮らしがよくなるにつれ、必然的にもとめられた変化でもあった。

そのことに気づかない藩は依然として米を重視し、収入の不足を年貢の増徴で補おうとし、またはやくから気づいている藩では、米を補足する換金作物の耕作を奨励して収入不足を補おうとするのだが、前者はむかしふうの苛政の色彩を濃厚にし、後者はしばしば藩が専売制を敷いて領民の富を横取りするという結果をもたらすことがあり、いずれも領民との間に軋轢を生む原因となった。

幕府の新田開発容認は、こういう時代の流れに逆行するようだが、幕府自体が財政建て直しのためには天領内の新田開発を省けないという事情があり、またかつての安定感を失ったといっても、米はやはり封建の世をささえる太い柱だった。幕府の措置が間違っていたとは言えない。

しかしすでに述べたように、新田開発が指し示すような方向、米作重視の経営が成りたちにくくなっていることは事実で、吉宗が新田開発にのり出した享保のころから、天領、藩領を問わず、領民の一揆が多発するようになった。

一揆の訴えは、重すぎる年貢の減免や役人の不正などから、人別銭を拒否してはじまった久留米藩一揆、藩の藍玉《あいだま》専売制に反対した阿波藩の藍玉一揆、不作を機会として藩に対する多年にわたる不満を訴えた上田藩一揆など、直接の動機は異っても、為政者の専制に対する抗議という一点では共通していて、藩の言いなりにならなくなった領民というものが、この時代には姿を現わしてくる。

宝暦四年に起きた久留米藩一揆は、かつての米沢藩と同様に、財政困窮のために参勤の費用を捻出することが出来ず、人別銭を課したのがきっかけで全藩的な大一揆となり、藩は人別銭徴収を撤回せざるを得なかった。また宝暦六年の阿波藩の藍玉一揆は、藍玉製造を暮らしの最後の拠りどころとしていた農民の藍玉を専売制にするべく藩がのり出し、安値で買い叩いて大坂に売り出そうとしたもので、一揆は蜂起の最後の段階で藩に押さえられたものの、一揆計画の全貌を知った藩は、専売移行をあきらめざるを得なかったのである。

宝暦十一年の信州上田藩で起きた一揆、この時期の少しあとに起きる福井藩の一揆は、久留米藩一揆と同じく全藩領を巻きこむ大一揆であった。これに対する幕府の対策も、一揆鎮圧には飛道具を使用してもよい、あるいは徒党、強訴、逃散を密告した者には銀百枚をあたえ、場合によっては苗字、帯刀をゆるすというような、専制権力者の素顔をむき出しにしたものに変って行く。

しかしこうした状況には、為政者に問題があるというような特殊な例をのぞいて、多くは追いつめられた藩と追いつめられた領民の互いに生き残りを賭けた押し合いといった趣があり、あながち年貢増徴を迫る藩側が悪玉で、対抗する一揆側が善玉であるとは断定出来ない面があったのも事実である。

この時期の諸国、諸藩は、すでに米沢藩でお馴染みのきびしい年貢取り立て、藩士の俸禄借り上げ、国内外の商人からの借財などは日常事で、あとはわずかに領内の特産物の独占販売にかすかなのぞみをかける程度だった。これを一言にして言えば、米沢藩のみならず、この時期の大半の藩が経営破産を目前にしていたということである。

上杉直丸は、藩の借財十数万両という事実を深刻にうけとめるけれども、たとえば時代がこれより四十年ほど下った文化四年における鹿児島藩の借財は百二十七万両で、その借財はさらに二十年ほどを経て文政末年になると五百万両の巨額にふくれ上がり、年利五分という超低利でも一ヵ年の金利は二十五万両になる計算だという（大石慎三郎著「江戸時代」）。ちなみに文化十年ごろの鹿児島藩の総収入は年間十四万両で、その全額を投入しても一ヵ年の利息払いにはるかにおよばない、とも同書は言っている。

時代の状況はこのようなものだったが、それでも米沢藩の困窮はやはりその中で抜きんでたものであったと言わなければならない。その格別の窮乏の最大の原因をなしているのは、すでに記したように、多すぎる家臣団にあった。既述したように上杉の米沢領移封のときに、すでにして家臣団は多すぎた。それが四十六万石の福岡藩に匹敵する人数だったことは記した。そして寛文の封地半減にいたって、その家臣の数は常軌を逸したものとなったのである。いくら家臣の禄を減らしても追いつくものではない。

この十五万石で五千人という米沢藩の家臣の数を他藩と比較すると、隣藩の山形水野藩が五万石で五百五人（江戸定詰の者を除外）、やはり隣藩の庄内酒井藩が十六、七万石で、千九百六十六人（ほかに江戸定詰九十八人）、金沢前田藩が高百二万石で家臣九千八百五十三人であるから、高に対する家臣の割合では、米沢藩は以上の三藩の三倍余の家臣を抱えていることになる。

また元禄五年の米沢藩の人口は十三万二千人ほどで、このうち武士とその家族が三万一千人余、農民は八万八千人余だった。すなわち農民二・八五人で武士階級一人を養っている勘定になる。

こういう無理な仕組みが藩財政に疲弊をもたらすのははやくて、藩では名宰相直江兼続、藩主上杉景勝が相ついで死去したあとの寛永十五年に、検地を行なってそれまでの年貢率平均三七パーセントを四八パーセントに引き上げた。四公六民が五公五民に変ったと言ってもよい。これが年貢増徴のはじまりだった。

このときの年貢増徴で注目すべきなのは、焼畑を本田として検地し、税を取ったことで、幕府の天領が焼畑を本高に繰り入れるのは享保後半から宝暦直前の延享、寛延のころだというから、米沢藩のこの措置は、それより百年もはやかったことになる。

年貢徴収の強化は、その後も財政の悪化にともなって行なわれ、承応年間には萩萱野を検地して年貢を取り、また藩林の下草を相応の価格で刈り取らせたりした。しかしその程度のことでは財政の窮乏は喰いとめられず、藩では明暦に入ると思い切った年貢増徴策を打ち出さざるを得なくなった。明元（明暦元年）懸銀と言われたこのときの年貢増は、広範囲の年貢対象に大きく引き上げた税率をかぶせたきびしいものだったが、一例を藩領特産の漆木でみると、四年前の慶安四年には、年貢は漆木百本につき蠟三百五十匁、漆液は一盃（二合五勺）で、年貢を納めた残りは農民の自由販売にまかせた。しかし明暦元年の改正では、年貢は百本につき木の実の上なり年が八百匁、中、下のなり年は六百匁で、漆液は百本につき二盃（五合）で、ざっと二倍の増徴となったのである。しかも藩ではこれを全量一定値段で買い上げ、自由販売を禁じた。

ところで米沢藩の漆木、青苧などの換金作物を眺めてみると、青苧、紅花、麻などは有名な直江兼続の「四季農戒書」にも作付を奨励されているし、漆木にいたってはさらに古くからある領内の特産だった。

ことに米沢藩領は四囲を山に囲まれた盆地であるため、元禄七年に最上川の水路がひらけるまでは、米を作っても大量に領外に輸送販売するということが出来ず、また年貢は兼続の時代から半石半永（永は永楽銭の意味で、米半分、銭銀半分ということ）を祖法としてきたので、農民ははやくから利益が手もとに残る換金作物の栽培に力をいれ、また銀納の増加は多すぎる家臣を養わざるを得ない藩の財政方針にも合致するので、藩もそれを奨励してきたのである。

この漆木作付で注目すべきなのは、藩が慶長年間に漆蠟を専売にしたところ、漆木作付が衰微したことで、藩はこのため慶安四年に年貢を取った残りの蠟は自由販売にもどした。そのほとぼりもさめないうちに、明元懸銀ではふたたびこれを藩の専売としたことになる。

たしかに特産物の専売で富を築いている藩は少数ながら存在し、専売は財政にくるしむ藩の大いに食指が動く制度ではあるが、これには領民の富を横取りするという側面があり、領民の意欲をそいだり反抗心を惹き起こしたりする。いわば両刃の剣である。

たとえば後年の肥後藩が行なった櫨《はぜ》の実の専売、鹿児島藩の砂糖、生蠟などの専売は成功したが、全国に名を知られた長州藩の和紙は専売制によって衰微したし、阿波藩の藍玉専売は既述のように一揆を引き起こした。専売制のそういう一面を、一度失敗している米沢藩が知らないはずはないが、明暦のころ藩財政は背に腹はかえられないという事情になっていたのであろう。

このあと寛文四年の藩主急死で封地も家中の俸禄も半減、そのおよそ四十年後の元禄十五年には、家中藩士の俸禄四分の一借り上げへと藩財政はひたすらに窮乏の道をたどる。

ようするに米沢藩では、年貢増徴にしろ特産物の専売制にしろ、他藩にさきがけてはるか以前に手をつけざるを得なかったのであり、他藩が年貢をきびしく取り立てたり、財政救済のために換金作物や特産品の専売制を試みたりする時期には、財政的に打つべき手はすべて打ちつくしてあとは人別銭を取るぐらいしか策は残っていないという状況に追いこまれていたのである。

藩のこのような状態は、領民はもちろんのこと、藩の経営にあたる為政者をも無気力に落としいれるに十分なものだった。封土返上伺いの一件は、発案者である竹俣当綱の心情をもふくめて、そのような犠牲者側の虚無感が表面にうかび出た事件だったと言えるだろう。

しかし為政者にしろ領民にしろ、総じて人間が無気力とか絶望とかに長く安住できるものでないことはこれまた自明の話で、やがて人人は窮乏からの出口をさがしはじめる。悪しきものが藩を覆っている、それを取りのぞけば暮らしもよくなるだろうと。森利真が誅されたとき領民が歓呼したのは、その証拠である。

しかし藩財政と庶民、家中の暮らしはその後も楽にはならず、むしろ悪化の道をたどっていた。そしていまは少なからざる人人が、その原因、藩を覆う悪しきものを藩主重定の政治的な無能と変らぬ奢侈好みの中に見ようとしていた。竹俣当綱を中心とする藩政改革派のように、明確に重定の施政を終らせて直丸を藩主とする新時代をひらこうとまでは思わなくとも、あるいは藩主重定がせめて遊興奢侈の暮らしをつつしんで藩政の指導に身をいれることをねがい、あるいは端的に重定の隠居をのぞむ者がふえてきていた。

しかし同じくそうねがいながら、藩政に占める責任が重い者ほど、ふと胸の内を無力感が横切ることがあるのも事実だった。庶民はただよき政治の到来を待望すればよい。あるいは待望するしかない。重税と貧苦からぬけ出す出口はそこにしかないからである。

だが為政者の側に立つ人人は、いささか世のうつり変りも見ていた。悪しき政治ならまわりにもふえているが、よき政治はそう簡単には手に入らないことがかれらにはわかっていた。世の中の仕組みがそのように変ってきていた。そして天災のようにやってくる幕府の強圧的な国役、さらには実際の天災。

そういう時代に藩主重定の政治的な無能、非力を論難したところで、はたしてそれが藩の起死回生策につながるのか。そういう懐疑的な思いは、藩政の実務にあたる千坂、芋川らの国家老や侍頭のみならず、改革派の中心である竹俣当綱の胸の奥底にさえひそんでいた。同じ思いは、もっと俗な形でではあるが、おどろくべきことに重定自身の心の中にもある。重定は、藩の一部に自分を隠居させるという動きがあるのを承知していたが、少しも動じなかった。隠居して日日の乱舞と女色を嗜《むさぼ》るたのしみを捨てる気など毛頭なく、おれを隠居させたところで、それで藩がよくなるものでもあるまいて、と思っていた。

この時期の米沢藩は、君臣、さらにはたくさんの領民がともに乗り合わせた破れ船で、広い海をただよい流れているようなものだった。改革派をふくめて行きつく先を知っている者は誰もいなかった。その中にあってただ一人、よき政治の到来を信じ、藩の再生を疑わない者がいた。世子上杉直丸である。

十七

明和元年の九月末から十月末にかけて、米沢藩江戸上屋敷で行なわれた重臣会議は、奇妙なものだった。

もともとこの重臣会議は、六月末に国元の勘定方が明和元年十月から翌年九月までの一ヵ年の収支予算書をつくったところ、およそ三万両の不足をきたすことがあきらかになったので、その不足金をいかに調達すべきかという指示を、江戸屋敷にもとめてきたことからはじまったのである。

三万両という不足金は、米沢藩の年間の貨幣歳入額にほぼ匹敵する金額だが、金策の道はすべて閉ざされていた。やむを得ず、重定は財政評議を行なうこととして国元から本庄、広居、須田の三重臣を招き、これに竹俣当綱と色部を加えて協議を行なうことにしたのである。

ところが奇妙だというのはこの後のことで、重定は到着した三重臣と色部に対し、藩主の前で評議すると決まっていた九月二十九日の当日になって、竹俣当綱の小屋にあつまって待機するように指示し、その上で近習二名を上使としてつぎのようなことを伝えさせた。

今度の会議の中身がどういうものか、重定は十分承知していないが、財政困難につき評議するということであろう。しかし仮に中身を承知していても重定は下知をくだすことはしない。ゆえに財政問題をはじめ政治一切はそちらにまかせるから、よろしく取りはからうように。これが重定の示達だった。

同じ江戸屋敷内にいて、しかも国元から呼びよせた重臣たちに会おうともしないというのは異様だが、示達の文言の中にある投げやりな物の言い方も尋常とは言えないものだった。おそらく竹俣当綱らが重臣評議を強要した形になったことに、内心不満を抱いていたということもあるかも知れないが、それでも重臣をはるばると本国から呼びよせておいて、わしは知らないからおまえたち勝手に相談しろというのは、藩主としての資格を疑われても仕方がない言い方というべきだろう。そして重定の本音を言えば、財政評議に加わるなどということは、辛気くさいだけで何の興味も持てない雑事にすぎないのである。

しかし実際に政治を担当し、目前に難局をひかえている重臣たちは、そうですかとひきさがるわけにもいかず、まず無理やりに重定に面会を強要した上で、この難所を乗り切るためには、重定が率先して藩政に力を入れなければならない旨を直言した。重定が直言を聞きいれたので、重臣五人は以後昼夜を問わず延延とつづく協議に入った。

そして一ヵ月後の十月二十九日に、重定に評議内容を報告し、支出の削減を骨子とする向こう一ヵ年の予算書、ならびに藩の機構を縮小する藩政改革執行の要綱を提出した。評議を終えた本庄、広居、須田、色部の四重臣は十一月中旬に帰国したが、その労を犒《ねぎら》って帰国直前に開いた重定の饗宴に、竹俣当綱は所用ありと称して出席しなかった。

江戸屋敷で行なわれた会議は、はからずも藩主重定と江戸家老竹俣当綱の感情的な対立を浮かび上がらせることになったが、重要なことは重定も当綱もそのことをもはやほかの重臣の目から隠そうとしなかったことである。財政評議を終えた本庄、須田らの重臣は、重定と当綱の間にある越えがたい亀裂を胸にきざみつけて、米沢に帰った。これも亡国の相の一面と思ったかも知れない。

翌明和二年の十一月に、竹俣当綱は奉行（国家老）に任ぜられて帰国した。奉行職は言うまでもなく藩政にたずさわる者の頂点に立つ重い職だが、この人事を、人によっては当綱の器量は器量として、重定が当綱を、額をつき合わせることが頻繁な江戸家老の職から慎重に遠ざけたとみる者もいた。

当綱は奉行職を拝命して帰国したものの、その後病いを得たと称して出仕しなかった。

明和三年七月九日の夜、屋敷にひきこもっている当綱を色部照長と大平主馬がたずねてきた。大平主馬は今年の正月に荒砥《あらと》陣屋の御役屋将から御小姓頭に就任したばかりである。はじめに主馬が、本日色部とともに重定に会い、面を冒して近ごろ思うところをいろいろと諫言したところ、重定は藩政にも力をいれ、藩の改革につくすことを約束したと言った。

「主馬は小姓頭として、殿が召使われている手廻りの者が多すぎはしないかと、率直に申し上げたのだ」

と色部が言った。主馬は御役屋将を勤める前は奥御取次の役にあって、奥詰の諸役の消息にも通じていた。

「その結果、殿も意見をいれて手廻りの者を膳番、手水番、平小姓などの八人に減らし、江戸表でも六人まで減らそうと約束された。ここまで殿が費《つい》えの節約に力をそえる姿勢を見せたのははじめてではないかの」

「そこで色部どのと相談いたしたのだが……」

主馬は当綱をじっと見た。

「ご家老が政庁に出仕なさらんのは、藩の現状に種種ご不満があって藩政をみる気になられないということかとお察しするわけだが、国家老が一日出仕を休めば藩のまつりごとに一日の空白が生じます。殿も改革にのり出す姿勢をお見せになられたことでもあるし、このあたりで政庁にご出仕いただけないものだろうか」

「わしは病気だ」

と当綱は言った。熱情あふれる大平主馬の弁論に水をかけるような、そっけない言い方だった。口をつぐんだ主馬を見ながら、当綱が言った。

「病気をしていると、いろいろなことが頭にうかぶ。今日はしきりに古弾正さま（三代上杉定勝）が顔の見ぐるしい男を召使われた故事が思い出されておった」

見ぐるしい男の故事というのは、定勝が召使っている家臣に、表情がひとに不快感をあたえるほどに愁い顔の男がいて、近習の一人があういう見ぐるしい男は隠居でもさせたらいかがかと進言した。ところが定勝はその者を強く叱って、人を故なく捨てるべからず、愁い顔なら憂いの場合の使者にでも使えばよいと言ったことを指している。

「むかしは君臣といえば、このように情の通い合うたものだった。いまはこのたぐいの情は枯れつくして見る影もない」

「殿に不服があるのだな」

色部が鋭く言った。当綱は今度は色部を見た。

「そうだ」

「殿に不服があって、藩政をみられんというのか」

「そうだ。いまさら経費の節約などと言い出されても、信用は出来ん」

「よし、美作」

色部はすばやく主馬を一瞥してから、また当綱に顔をもどした。

「いまのことは聞かなかったことにする。主馬もいいか、他言無用だ」

その翌日、今度は当綱が使いをやって色部を屋敷に呼んだ。そして、重定に隠居をすすめたいがどう思うかと聞いた。色部は難色を示した。重定が藩政改革にまがりなりにも協力する姿勢を示しているときにそういうことを持ち出すべきではないし、またいまは隠居をすすめても殿は受け入れないだろうと色部は言った。

これに対し、手廻りを減らしたなどということは、殿おとくいの一時的な糊塗にすぎぬ、いまに元通りになると当綱が反論し、二人は昼前の一刻を費して激論をかわしたが結論は出なかった。

しかしその日の夕刻、当綱はにわかに登城して重定に面会をもとめると、面とむかって隠居をすすめた。当綱としても、直丸と江戸の改革派から切りはなされては、一刻も猶予はならないという気持になっていたのである。

「近習の者を国元、江戸表ともに減らされたことは、殿のご英断というべきです。このようなしかとしたご決意がなくては、藩政の改革は成り立ちません」

当綱は最初重定を持ち上げてから、おもむろに隠居を進言した。

殿は末弟に生まれながら幸運にも藩主となり、しかも二十年来藩を維持してきた。短命の代代藩主にくらべ、強運、長寿と言える。しかし満つれば欠くるのたとえもあり、よきところで藩政をゆずって、今後は安泰に暮らすのが第一と思われるがいかがか。

ところでひるがえって殿の政治をみるに、そもそも政治がきらいで、これまでなされたことで道理に叶ったことは一ヵ条もない。勝手向き(財政)のことなどもよその家のことのように思いなされ、われわれが何度となく意見を具申しても、上のそらのご挨拶であった。殿の治世下の二十年は、米沢に日が照らない有様で、人民も心安らかでない年月を送ってきた。

このたび藩は重い経費節減策を打ち出したが、なかなか成就される見込みはないと思われる。殿は政治に不向きのお人柄であり、この種の政策はこれまでも成就されたことがない。十分に合点されずに執行されるからである。なにとぞ隠居されることをおすすめする。

この歯に衣着せない進言が終るころには、言う当綱も聞く重定も顔面蒼白になったが、ここから重定は驚異的な粘りをみせて当綱を押し返す。

「いやはや美作の申すことはもっともである。しかしこれまではご先祖のことも考えずに迂闊にしておったが、このたびは間違いなく取り決めたとおりに行なうゆえ、隠居などということは申してくれるな」

「しかし殿がそう申されても人人はもう本気にいたしますまい。人民に信用がなく、殿に帰服せずに改革が成り立つわけがござりませぬ」

「この上はいかようにもそなたらにまかせる。何なりともそむかぬゆえ、ただ隠居の儀だけは、ぜひにぜひに堪忍ねがいたいものだ」

この押し問答の間に、当綱は隠居をすれば、これまで以上にぜいたくをしてもいい、好みの女子を召使うも可とまで言うが、重定は承知せず、最後に当綱は、それでは今後はご身分は無きもの、すでにお死にになられた気持で暮らすことを条件に隠居の儀はひっこめましょうと言って引きさがった。

藩主の座に執着する重定の一念に根負けした形だが、しかし翌年四月、重定はついに幕府に隠居願いを提出し、前年七月に元服して従四位下弾正大弼治憲となっていた世子直丸が、重定のあとをついで第九代米沢藩主となった。明和四年四月二十四日だった。

十八

新藩主となった上杉治憲が、最初に手をつけたのは、国元に前藩主重定の隠居御殿を建てることだった。場所は二ノ丸の城代屋敷に定め、城代の役宅を大腰掛裏に移して、五月に入るとただちに建築に着手した。

それは新藩主としてやるべき当然のことではあったが、のちに完成した新御殿南山館が、治憲の政治方針に反するほど豪奢だったことから言えば、いちはやく着手したその初仕事は、老後の暮らしに不満なからしめようとする治憲の養父に対する孝養のこころのあらわれとみることが出来るだろう。しかしまたさらに言えば、十七歳の新藩主は養父が隠退しないうちは瀕死の藩は瀕死のままでこの先も行くほかはないことを、十分に認識していたはずである。ゆえに蕨科松伯やほかの側近の口から、重定隠退をめぐる事情を聞かなかったわけがないにもかかわらず、治憲はその流れに乗った。

重定のあとをうけて自分が改革に取り組むよりほかに藩建て直しの道はないと思い決めてのことだとしても、藩主交代のあとには、治憲には養父に対する気遣いが残ったかも知れない。幕府に家督が認められると早早に隠居御殿の建築にかかったのも、その気遣いの一端をあらわしているとみることも出来ようが、しかし治憲は藩主交代を悔いたりしたわけではなかった。

治憲は満満たる自信とつよい決意を胸に抱いて藩主の座を引きうけた。そのことは家督後に詠んだつぎの和歌一首にあらわれている。

受次て国のつかさの身となれば忘るまじきは民の父母
この民の父母という視点こそ、前藩主重定に欠けていたものである。

八月一日に、治憲は内使を派遣して国元の春日社に誓詞を納めた。内容は、文学、武術を怠慢なくつとめること、民の父母という心構えを第一とすること、質素倹約を忘れぬこと、言行ととのわず、賞罰正しからず、不順無礼のないようつつしむことなどで、まず最初に上杉家の祖神である春日大明神に、新藩主としての在るべき心構えを誓ったのである。

さらに翌月の九月六日に、治憲は国元の白子神社に再度ひそかに使いを派遣して、つぎの誓詞を納めた。

連年国家衰微し、民人相泥《なず》み候、因って大倹相行い、中興仕《つかまつ》りたく祈願仕り候、決断若し相怠るに於ては、たちまち神罰を蒙るべき者也。

大倹は言うまでもなく大倹約令のことである。これを治憲は改革の中核に据えて、藩を再生することを誓ったのであった。

二年前に、重定の命令で江戸にのぼった国元の重臣たちは、江戸家老の竹俣当綱を加えて緊急の財政対策を評議し、藩政機構の縮小、さらには俸禄を得ている者の子の近習をやめさせる、重定の娘幸姫《よし》の費用三千石を二千五百石（四百五十両）に減らすなど、藩主周辺の費用削減を行なって当面する財政的な苦境を切り抜けることを決定した。しかしこの決定は、治憲や治憲のまわりを固める藩政改革派からみればきわめて微温的な一時しのぎのものでしかなく、またその後藩主重定に隠退をせまったときに竹俣当綱が口にしたように、上に重定がいるかぎりはそれすらも実現を危ぶまれるような脆弱《ぜいじゃく》なものにすぎなかったのである。

いずれにしろこのとき提出された経費節減策は、改革ということからいえば中身も覚悟もあまりにも遠くへだたるしろものというほかはなかった。それだけでなく、そこにははからずも藩主、米沢藩重臣のその日暮らしの体質が露呈されてもいたのである。神に大倹を誓った治憲は、つづいて九月十八日に、藩邸に江戸勤務の者を呼びあつめて親しく大倹令を諭達したのだが、その中で現在のような危うい経営をつづけているならば、かりに水難、旱魃、火災、幕府の普請手伝い、これらのうちの一カ条でも到来するならば、国家はたちまち立ち行かなくなるだろうと言ったのは、右のような重臣層の現状認識の甘さに警告を発したのであった。

また同じ諭達の中で、治憲は座して滅びを待つよりは、君臣力をあわせて心力の尽きるまで大倹令を行なえば、あるいは国の立ち行くこともあろうかと、このことを屹《きつ》と思い立った、と述べた。

この悲壮ともいえる覚悟が大倹令の考え方だが、むろんこのことは治憲一人が考え出したものではない。国元の執政竹俣当綱と、治憲の側近莅戸《のぞき》善政、木村高広、学問の師でもあり治憲の侍医でもある藁科松伯らをむすぶ改革派とともに練った政策である。しかし白子神社に納めた誓詞は、おそらく治憲一人でしたことであろう。誓詞の文言には、他人の容喙をゆるさない気迫がこもっている。

ちなみに白子神社は和銅五年の創建とされる古い神社で、長井氏の支配時代にはすでに置賜《おきたま》郡の総鎮守であった。その後、伊達、蒲生、直江、上杉と歴代の支配者の尊崇をうけ、蒲生氏郷のときに米沢城の鎮護とされて以来、上杉氏に代ってからも、歴代国家の鎮守、産土神として崇敬されてきた神社である。なお米沢城下最古の町とされる粡《あら》町は、白子神社の門前町として発達した町だった。治憲が納めた誓詞がこの神社の奥殿から発見されたのは百二十五年後の明治二十四年である。

九月になって大倹令の内容が発表された。大般若経、護摩の執行と、年間の佳祝行事の制限、延期。参勤の行列の人数を減らすこと。平常の食事は一汁一菜とする、ただし歳暮は一汁二菜とする。普段着には木綿のものを用いること。軽品といえども音信贈答を禁ずる。藩主奥女中は九人とするなど、十二カ条である。従来の奥女中五十余人を九人に減らしたのは、まず隗《かい》よりはじめよの意気込みだった。

治憲は、江戸では大倹令の趣旨を家臣に直達したが、国元には江戸屋敷に執政千坂高敦を呼んで、趣旨、内容を申しふくめて千坂から発令させようとした。

しかし江戸にのぼってきた千坂は、家中を城にあつめて懇《ねんご》ろに大倹令を申し達するようにという治憲の言葉に、すぐには答えなかった。手渡された十二項目の大倹令の内容にじっと目をそそいでから、やがて顔を上げて治憲には意外としか思えぬことを言った。

「これを持ち帰って家中に申し達しても、おそらく人人はこれが殿の真の思召しに発するものとは受けとらぬのではないでしょうか」

「それは、どういうことかの」

と治憲は言った。予想外の反応に緊張していた。その治憲をゆったりと見まもりながら千坂は言った。

「一汁一菜、木綿着用のこと、すべて格式を無視したバカげたお触れでございます。おそらくは殿のまわりにいて補佐する者……」

千坂は言葉を切って、その場に陪席している木村高広に鋭い視線を流した。

「補佐の者たちの入れ知恵によるものと思いまするが、かような申し達しを国に持ち帰るわけには参りません。この千坂が笑い者になります」

「対馬、わしを見よ」

治憲に言われて、千坂は主君を見た。

「わしを子供と思っておるのだな。そなたの目にはそのように見えるか」

「あ、いや」

これまでゆったりと構えていた千坂の顔に、わずかに狼狽のいろがうかんだ。

「いやいや、さようなことは……」

「いや、見えるなら正直に申してもよいぞ。咎めはせぬ。しかし、この治憲、そなたが思うほどの子供ではない。今後のこともあるゆえ、思い違いをせぬ方がよい」

新藩主はおだやかな口調ながら辛辣な口をきいた。

「それは、もちろん」

「たしかに今度の大倹約令をまとめるにあたっては、まわりの者の知恵を借りた。いろいろと相談もしたということである。しかし思い立ったのはこの治憲である。またそれぞれに決断を要するところでは、治憲がすべて決断した。その責任は、すべてこの治憲が負うものだ」

「相わかりましてございます」

千坂は紅潮した顔を上げた。

「しかしながらそれにしても思い切ったご政策。前代未聞のことにて、われらもとまどうばかりでございます」

「さもあろうが、国もまた前代未聞の窮地に立たされておる。この窮地をしのぎ、国を滅亡から救うためには大倹を行なうほかはないことは、さきほど話した。どうか国元にその趣旨を十分に伝え、大倹の条条の執行に力をつくしてもらいたい」

「しかし家中を残らず城内に呼びあつめてかかる事項を申し達した前例はありませぬ。大殿さま（重定）の時代に節倹を執行されましたときも、示達はそれぞれの組の頭をあつめて行ないました。このたびも、それで十分かと存じます」

「対馬、わしが特に家中を呼んで申し達してもらいたいと頼んでおるのは、数多い家中の中には、わが藩がこれほどの危難をむかえておることを知らぬ者もいないではないと懸念するからだ。ほかの重臣を説得するのに難儀であるようなら、わしが大倹の趣旨を記したものをつくろう。それを持ち帰って、国元での示達に万全を期してもらいたい」

と治憲は言った。

家臣への直達にこだわったのは、そうしないと重臣層と諸役の頭の間で、大倹令の趣旨も項目もうやむやになる恐れがあると感じたからである。

治憲のねばり強い説得に根負けした形で、千坂対馬は治憲が書き上げた志記という諭達書と大倹令の内容を懐におさめて帰国した。しかし千坂から話を聞いた国元の重臣たちは、一斉に反発した。

とくに芋川正令、須田満主の二人は、大倹令のような重要な国策を国元の奉行職に何の相談もなく決定したのは、新藩主の軽挙というほかはない、また江戸勤務の者には触れを直達し、国元は奉行職達しで済ませようというのは、事に軽重の嫌いありというべきだとはげしく反発し、大倹令の示達をいそぐことはない、お館（治憲）が帰国するまで寝かせておいて、その上で国元でも直達を仰ぐのが筋だと、治憲と大倹令への反感を露わに示しながら言いつのった。

千坂の手紙でそのことを知った治憲は、再度国元の執政、重臣に対して直書を下し、家中への示達を促したが、重臣たちはこれをうけて数度会合をひらいたものの須田、芋川らの主張する反対論をくつがえすにはいたらなかった。江戸屋敷から発せられた大倹令は、国元にはとどいたものの、宙に浮いたまま凍てつく冬をむかえようとしていた。

最後の重臣会議が、家中への示達を見合わせることを決定してから二、三日後のことである。その日竹俣当綱は夕刻にいったん二ノ丸会談所の奉行詰の間から下がったあとで、夜になってふたたび家を出て登城した。従僕一人を連れただけのひそかな登城だった。

当綱がたずねたのは、同じ二ノ丸にある重定の隠居御殿南山館である。南山館は重定が好む能舞台までそなえた新築の御殿で、相変らずあちこちに荒廃の痕が見える城内の建物の中で、そこだけが異域のように光りかがやいていた。重定はそこに三人の夫人、徳千代、保之助と治憲を養子にしたあとに生まれた子息二人、ほか大勢と住んでいて、江戸上屋敷の奥をそっくり移したような豪奢な暮らしをしていた。

「ひさしいではないか、美作」

奥から出てきた重定は、坐るとすぐに皮肉な微笑を当綱にむけてきた。

重定は重定なりに心労があったはずの隠居間ぎわの時期にくらべると、重定の面長で上品な顔にはつやがあり、生気にあふれてみえた。気持がふっきれたせいか、いくらか太って以前より若返ったようでもある。これではなかなか隠居したくもなかったわけだと、当綱は思った。

「奉行の仕事がいそがしくて、なかなかここに顔を出すひまもないげにみえる」

「申しわけございませぬ」

当綱は詫びた。重定の言葉は裏に皮肉を隠しているのだが、実際に当綱はいそがしかったのだ。千坂や須田満主と協議して、三カ年にて終了をめどとした水帳改めに着手したし、また何よりも実効のある貢租増加策をすすめねばならなかった。このことは千坂、須田には黙っていたが、さきに江戸で発令された大倹令と表裏をなすものだった。

当綱は農民がおさめる年貢のうちの家中知行分を、いったん城内の御蔵納めとすることを決めた。姑息なやり方のようではあるが、家中からの半物成借り上げを確実にするためである。同時に家中が農民から過重に大豆、糯《もちごめ》、油などを取り立てることを禁じた。農民の負担力にゆとりをもたせるための施策である。しかしこういうことを前藩主に説明しても、何の益もないことはわかっているので、当綱は単に詫びるだけにとどめた。

「ふむ、するとそのいそがしい美作が夜分にここにくるからには、何かよほどの緊急の用があったとみえる」

「いえ、ただの時候見舞いにござります。にわかに寒くなって参りましたゆえ、ご機嫌はいかがかと」

「それは大儀である」

と言ったが、重定はまた皮肉な微笑を顔にうかべた。

「そなたが来た用は、おおよその見当がついておるぞ、美作。大倹のことで、重臣たちが揉めておるそうではないか。今夜の用はそれだろう」

「おそれいりましてござります」

当綱は低頭した。顔を上げて言った。

「さようなことを、どこからお聞きになりましたか」

「そなたはわしを世捨て人と思うかも知らんが……」

今度は重定は、皮肉を隠さずに言った。

「わしにも目と耳はある。そういう話はどこからともなく耳に入ってくるものだ。それで、わしにどうしろと？」

「江戸におられる殿をお助けいただきたい」

と当綱は言った。重定は口をつぐんで当綱を見ている。

「御耳がおそなわりであれば、江戸で九月に発令になった大倹令が、国元では十二月を目前にしながらいまだ一項目も発令されていないことをお聞きおよびでござりましょう。江戸の殿は進退に窮しておられます」

「美作に聞くが……」

と重定が言った。皮肉な口調は影をひそめて、もと藩主は沈鬱と言ってもよい表情と音声になっていた。

「新しい弾正どのは小藩の育ちゆえ、その家の格式がどのようなものかは、知らぬ。しかしそなたが十五万石の家の格式を知らぬはずがあるまい。その美作が、一汁一菜とか、木綿を用いよとか申す一律の倹約令に、なにゆえに賛同したかだ。わしにはわからぬ。説明してくれぬか」

「たとえば侍組は一汁三菜でもよろしいが、そのほかは一汁一菜と申しては、人が倹約令にしたがいませぬ」

と当綱は言った。

ほんとうは、藩が滅亡の境い目を行ったり来たりしているときに、再生を妨げる最大の障害物になっているのがかたくなに旧来の慣例、格式に固執するこころなのだと言いたかったが、重定にそれを言っても理解されない。重定だけではない。まだ暮らしの中で格式を守る余地のある上士層、重臣層も、これを理解しないと当綱は思った。

その当綱を、しばらく無言で見つめてからもと藩主は、自分で考えたのか、それとも誰かが言ったことの受け売りかはわからないものの、突然に封建の世の根幹にかかわるようなことを言い出した。

「いまの世は身分というもので成り立っておる。身分の軽重をないがしろにすると、世の中が乱れる」

「まさに……」

当綱は少しおどろいて重定を見た。

「仰せのとおりでござります」

「そなたにこういうことを言うのは釈迦に説法するに似るが、格式は身分にかかわる大問題だぞ。むろん承知の上だな」

「承知いたしております」

「無視するのか」

「ひとまずは辛抱ねがわねばなりません」

「大倹の行なわれる間はということだな」

「さようでござります」

「期限があったな」

「お触れが出されてから十年でござります」

「十年、ふむ」

重定はあごをひいて当綱をじっと見た。

「危ない橋をわたるわけだ」

「危ない橋をわたらねば、藩の建て直しは出来ませぬ」

「そのことは弾正どのも承知のことだろうな」

「もちろんでござります。発議されたのはあのお方でござります。われわれは補佐役にすぎません」

「ふむ」

重定は、今度は自分の膝に目を落とした。しばらくしてから言った。

「では、わしは何をしたらよいのか」

「大倹令がこのまま国元で停滞をつづければ、江戸の殿の威信がそこなわれることは必定でござります。なにとぞ明日にもわれら奉行職の者を膝下に呼んで、大殿からきびしく大倹令の執行をうながしていただきたい。ただいまの苦境から江戸の殿を救い出すことが出来る方は、大殿のほかにはおりません」

「奉行職と申しても、そなたはのぞいてもよかろう」

「いえいえ、それでは困ります。それがしはこのたびの大倹令発布にひと役買ったはずと、すでにはや、まわりの重役どもに憎まれております。それがしも出席して、大殿との打ち合わせなどかけらだになかったごとくふるまわねばなりません」

ここで当綱はひげづらをほころばせた。

「それに、今夜大殿に陳情に参ったことは、何人にも秘密のことです」

「相変らず策略の多い男だの」

重定はめずらしく声を出して笑った。六月に帰国した重定が隠居御殿の南山館に移ったのは半月ほど前の十一月十日だが、新居が予想以上にりっぱなのに重定は気をよくしていた。その上機嫌がまだつづいている。

それに、ひさしぶりに家中にさきの藩主の威厳を示す機会がおとずれたというのも、もちろんわるくはないと重定は思った。そうしてくれと頭を下げてたのんでいるのが、自分を藩主の座からほうり出した竹俣だとすればなおさらである。この男に、前藩主の重味とありがた味をたっぷり味わわせてやろう。よし、よし、と重定は言った。

「大倹令にはわしとしても納得しがたいところがあるが、ここは弾正どののためにひと肌脱ぐこととするか」

当綱との約束を、重定はただちに実行した。すなわち十一月二十八日に南山館に千坂高敦、竹俣当綱、須田満主の三執政を呼び、大倹令の執行が滞っている理由を聞いたあとで、その方らの論じるところはもっともであるが、このままに推移すれば藩主の威信が傷つくことはあきらかで、看過出来ることではない。直達でなければ受け取れぬというのなら、わしがお館にかわって本城に行き、申し達しを行なおう。ただし家中一統を呼集するにはおよばぬ。諸役の頭をあつめれば足りる、と重定は言った。重臣らには花を持たせ、治憲のために実を取った措置だった。

三執政は承服して城にもどり、ほかの重臣たちにもはかったが、今度は重定の裁きにあえて反対を言う者はいなかった。ただし執政の一人芋川正令だけは重定の呼び出しに応ぜず、またそのあとの重臣一同の評議にも加わらなかった。

このような経過を経て、十二月十一日、前藩主重定は本城に出むき、高家以下諸役の頭を残らず呼びあつめた上で治憲の諭達と大倹令の十二項目を読み上げた。その上で以上のことを支配の組中の者に懇切に申し達するように命じた。重定のこの措置によって、国元でも大倹令がすべり出し、米沢藩は江戸、国元ともにかつて例をみない大倹約時代をむかえることになったのである。

しかしすべり出しはしたものの、かれらが拠って立つ格式を軽視された上士層、とりわけ政策にかかわりを持つ重臣たちはこの大倹令に不快感を露わにし、その発議者である治憲と側近に内心強い反感を抱いた。

おそらくこのあたりが火元であったろう。大倹令は他家への外聞がわるいだけでなく、わが米沢の国体を損じるものだ。あるいはお館は小家育ちゆえ大家の格式を知らぬ、また例の諭達は内容、文章ともに十七歳の少年に書けるものではない。必ず近習の莅戸善政、木村高広らがした作文であろう、といったたぐいの流言が上士層を中心とする家中にひろがった。

その流言を書き記した国元の倉崎一信が、莅戸善政と木村高広に貴公らは君徳の美を損じるものだ、即刻退任せよという書状を送ってきたので、莅戸、木村の二人は大いにおどろいて病いを得たと称し、治憲にねがって近習の役をしりぞくと帰国した。事実無根のことだとしても、このような流言が城下にひろまっては、大倹令の徹底に障りをきたすだけでなく、倉崎の言うように、治憲の威信を傷つけることにもなりかねないと判断したのである。

十九

明和六年は、新藩主治憲にとって、多事多端の年となった。まず正月早早に、かねておそれていた幕府の普請手伝いが、治憲の上に降りかかってきたのである。今度の手伝いは、江戸城西丸御殿の修復工事助役で、相役は松江藩（松平出羽守治郷）だった。ほかに西丸内外普請の助役に、大聖寺藩（松平〈前田〉備後守利道）が加えられた。

藩主となってようやく三年目に入ったばかりというときに、治憲はたちまち自身の言う国家存亡の危機に直面したことになる。

江戸屋敷の勘定組頭に助役の費用を見積もらせると、組頭は詳細はのちに報告するとして、概算で一万六千両を下らないであろうという見通しを言上した。一万六千両は藩の歳入額のおよそ半分である。借財は山ほどあるが、蓄えは一両もないといっても過言ではないときに、この大出費をどうするか。

しかしながら幕府の命令をうけながらこれを拒むようなことがあれば、理由を問わずただちに国の存亡が問われる事態になるのは明白、というのが治憲の胸をわしづかみにした思いだった。

治憲は千坂、竹俣そしてこの正月に江戸家老から奉行職に任命した色部照長の三奉行に、急遽このことを通知するとともに、とどこおりなく普請手伝いを成就するために、全力をつくすべきことを要請した。また家中、領民にも異例の直書を下し、突然の普請手伝いの下命によって、わが藩はいまや国家存亡の危機をむかえるに至った、わがためにあらず名誉ある上杉の家名を残すために、米沢藩十万人力を合わせて忠勤をつくすようたのみ入ると、切切と訴えた。

執政たちは、さっそく手伝いの費用の調達にとりかかったが、領外からの借金は一切のぞめないので、結局かつてそうであったように、領内で家中、農民、町人から出金をもとめるよりほかに方法はなかった。家中は半知借り上げの残り半分の知行について、百石あたり二両宛出金する、また農民は高百石につき銀百匁、町衆は応分の寄付を差し出すようにというのがこのときの費用調達の中身だった。

町衆に対しては応分としたのは、以前は御用金の命令に応じた富商には武家身分をあたえ、あるいは藩政機構の中でしかるべき役職につけるという褒賞措置を行なったが、竹俣当綱が奉行となった翌年、これを弊政なりとして廃止したので、今回は正面から御用金を命じることを憚ったのである。しかるに城下の富者らは、治憲の直書に感激してすすんで出金した者が多かった。また隠居の重定も、仕切料の中から三百両を寄附した。贅沢三昧を信条とする重定も、述べたような情勢を見過ごしに出来なかったらしい。

藩が一体となった費用調達によって、秋にはどうにか見積もりの金額がととのい、九月三日に藩は西丸普請の国役を幕府に願い出、十月九日には普請の落成をみた。幕府は十月十五日に松平出羽守治郷、上杉弾正大弼治憲に時服《じふく》三十ずつ、松平備後守利道に時服十をあたえ、同じ月の二十二日に、手伝いに尽力した各藩の家臣らに時服、羽織、または銀をあたえた。これを以て治憲は最初の大役ともいうべき公儀御用を、つつがなく勤め上げることが出来たのである。

これより前の八月二十三日に、治憲は重定の次女幸姫《よし》と桜田の江戸屋敷で婚礼の儀を執り行なった。その日の辰ノ刻に江戸家老須田満主が使者に立って幸姫に結納を進め、辰ノ中刻には治憲が奥に入って三三九度の嘉儀を行なった。この婚姻は当日幕府に届け出た。治憲十九歳、幸姫十七歳の新夫妻で、幸姫はこの日から御前さまと敬称される。

二十九日には七ッ目の御祝が行なわれ、江戸屋敷の諸士、国元の群臣がお祝いを申し上げ、米沢城本丸では執政以下が隠居重定を招いてお祝いの膳を差し上げた。また国元では、婚姻を祝って国中に赦免を行なった。

しかし治憲と幸姫の婚姻が行なわれた日の翌日、さきに病いを養うために帰国していた藁科松伯が死去した。松伯の病いが重いという話を聞き、竹俣当綱は前日の二十三日、松伯を見舞った。少し待たされてから当綱は病間に通されたが、寝ていると思った松伯が机のそばに端座しているのを見ておどろいた。

「先生、無理をされてはいけませんぞ。まず横になられよ」

と当綱は言った。部屋の隅に片寄せて夜具は敷いてある。かすかに香が匂うのは、薬餌の香と体熱の匂いを消す心配りだろう。それも病体に障りはしないかと、当綱は気になる。

「それがしが見舞いにきて、ご病気の先生を煩わせてはなんにもなりません。お気遣い無用、どうぞ横になられよ。お臥《ふせ》りになっても話は出来ますぞ」

「いやいや、ご家老こそお気遣いなされますな」

と松伯は言った。

「寝ておるのも退屈で、時どきこうして起き上がって書物など眺めております。長くなれば疲れますが、少少はこうしておる方が気持が晴れ申す」

「さようか。では、じきにおいとまするとして……」

当綱は改めて松伯をじっと見た。そして声を押さえて言った。

「お加減はいかがですかな」

「よくありません」

と松伯は言った。松伯は痩せて、皮膚の下に顔の骨格が透けて見えるような相貌をしていた。膝に置いた手も、着物に隠れているその膝頭も骨張って、人骨が衣服を着ているようにも見える。にもかかわらず松伯には、全体として清らかに澄んだものに覆い包まれている清明な印象があった。まるで、この世のひとではないようなと、ふと思いかけて当綱は小さく首を振った。

「さようか。では、お医師の先生にこのように申し上げるのもナニだが、養生を重ねてお丈夫になられるよう、おねがいしなければなりませんな」

「ありがたいお言葉ですが、その養生もかなわぬところに来ました」

淡淡と松伯は言った。そして黙然と見まもる当綱に、これまで見たことのないようなやさしい目をむけてきた。

「しかしこれもわが定命とあればやむを得ません。ただ、お館さまが手をつけられた藩改革の行末を見ることが出来ないのはいささか心残りですが、事は一応すべり出しました。以てそれがしの役目は果したということも出来ましょう」

松伯の目がふと光を帯びた。

「近ごろはいかがですか。やはり、やりにくくなっておりますか」

「去年芋川が奉行職をやめてから、どうもうまくいかん」

松伯にこれ以上病気の話をする気がないのを悟って、当綱も話題を当面する藩政にもどした。芋川は治憲、当綱が主導する藩政改革を批判してやめた奉行である。

「それまでは、根本のところに不満を蔵しながらも改革に協力すべきかどうかと迷っているふうに見えたまわりの重臣どもが、芋川の辞職以来一斉にわしの敵に回った感がある。やりにくいことおびただしい」

「色部さまもそうですか」

「色部も、いまや敵だ」

松伯は膝に目を落とした。去年の暮に門弟の小川源左衛門尚興にあてて書いた手紙のことを思い出していた。

小川尚興は、経世済民を説く徂徠学の系譜につながる学者でもあり、竹俣当綱も藁科松伯もこの系譜につらなり学問の洗礼を受けた。当綱と松伯が、まだ直丸と称していた現藩主治憲に、あらたに学問の師をすすめるにあたって、実践を重んじる折衷学派の細井平洲を選んだのも、このあたりに淵源がある。政治は道徳に先行すると主張する徂徠学は、藩改革に打ってつけの学問だったが、徂徠は幕府が官学とした朱子学をはげしく批判して古文修辞学を完成させた学者である。晩年八代将軍吉宗の政治顧問となったといっても、やがて米沢藩主となる人に徂徠学をすすめるのは憚りが多いとして、近似する学風をみとめることが出来る折衷学派をすすめたということになるだろう。

松伯が門弟の小川尚興に書いた手紙は、小川が重臣たちが治憲の発した大倹令をよろこばず、国政を非難するばかりか議論が藩主の批判におよぶこともある現状を心配してよこした手紙に対する返事だったが、その中に松伯はつぎのようなことを書いている。

はじめに松伯は、国政を不満として一揆あるいは強訴が打ちつづく近年の世情を記し、かように百姓の心さわがしく成り行き候も、畢竟は一度は治り一度は乱れ候天道のことに御座候えば、そろりそろりと天下のゆるる兆もあるべく御座候や、じつに国を持ちたもう主さま方のご用心時に御座候と書いた。これが松伯の時勢観だった。松伯は近年の世相に幕藩体制崩壊の兆を読み取らずにはいられない。

つづいて松伯は、こういう時節に、若気でも浮気でも一国の衆人と苦楽を共にして少しでも下の潤いになるようにと、みずから木綿に一汁一菜で過ごされる方を藩主に戴くことが出来たのは、地獄で仏に出会った心地だ、と記した。

尖った膝と膝の上に置いた手を見つめながら、松伯は門弟に書いた古い手紙の文言が間違ってはいなかったかとふり返っている。間違ってはいなかった。はてもなく長くはあるが、あきらかな一本の道が見えていた。ほかに米沢藩を生かす道はなかった。

「ご家老」

呼びかけたときに、松伯は髭が濃く目の大きい長年の友人に対する信愛の情があふれるのを感じた。

「重臣の方方の思惑などはほっておきなされ。彼らは時勢を知らぬ者です。この国を救うものはお館さま、補佐するご家老、莅戸さま、言うなればわれら同志のみと思い切らねばなりませんぞ。堪えるところは堪えて、じっと時節を待つべきです」

「相わかった。我慢しよう」

と当綱は言った。そしてふと気づいたようにつけ加えた。

「いまの町奉行、先任の長井藤十郎と、今年その役についた笹戸九郎兵衛、二人ともまことに庶民の評判がいいそうだ」

「笹戸さまのご登用は、やはりご家老のご指図ですか」

「人材を腐らせるわけにはいかん。根回ししてようやく実現したが、いや、これしきのことをはこぶにも苦労するのだ」

当綱は言ってから身じろぎした。

「少少長居し過ぎた。お疲れではありませんかな」

「お気遣いなく」

言いながら、松伯は暫時お待ちあれという身ぶりを当綱に示した。そして立って机に向き直ろうとしたとき、大きく上体が揺れた。目まいを起こしたようである。しかし松伯は、あわてて支えようと膝行する当綱を手を上げてとどめると、机にむかって紙をのべ、墨をすった。

顔いろこそ青白いものの、背は直線にのびて、さっき命がきわまったようなことを言った病人とは見えなかった。当綱がその横からじっと見ていると、やがて松伯はのべた紙にすらすらと文字を書いた。

賢臣ニ親シミ小人ヲ遠ザクル、コレ前漢ノ興隆スル所以ナリ　小人ニ親シミ賢臣ヲ遠ザクル、コレ後漢ノ傾頽スル所以ナリ

右諸葛武侯ノ語と一気に書いてから、小臣藁科貞祐拝書と署名した。つづいて詩二篇を、紙を改めて流れるように記すと、これをお館さまにさし上げてくだされと言って当綱に渡した。揮毫

でおそらく全力を使いはたしたのだろう、松伯は呼吸がみだれ、額から汗をしたたらせていた。

翌日の八月二十四日、藁科松伯は死去した。三十三歳だった。その知らせが江戸屋敷にとどくと、治憲は深く悲しんで食が減ったという。

江戸城西丸の普請手伝いが無事に終り、幕府からの下され物を受けたあとの十月十九日、上杉治憲は初入部の旅にのぼった。米沢領最初の宿駅板谷宿に着いたのは二十六日の夕刻である。

谷間の宿駅には折柄降雪があった。時どき風が吹くと、雪は風に巻かれて宿場の中を右往左往した。そして夜になるとはげしい寒気が襲ってきた。

治憲が国境の警備と宿場の本陣を兼ねる板谷御殿の一室で、建物の外を吹きすぎる風の音を聞いていると、襖の外で目通りをねがう者の声がした。やがて近侍の者が襖をあけ、宿の者が申し上げたいことがあると言ってきている、御殿将が付き添っているが、いかがしましょうかと言った。

治憲が許可すると、御殿将にともなわれた本陣の主《あるじ》が入ってきた。夕方挨拶に来た男である。

「宿場の夜具が足りぬそうで、そのことで取りいそぎ申し上げたい儀があると申しております」

御殿将の言葉に、治憲はおどろいて男を見た。

「夜具が足らんとはどういうことか。直答をゆるすゆえ、遠慮なく言え」

治憲が言うと、本陣の主はお供の人数をすべて休ませるだけの夜具が足りないことが判明して、いま宿場の宿宿の騒ぎになっている。もちろん、まわりの民家からも借りあつめて何とか間に合わせるつもりだが、粗末な夜具にあたり、あるいは一部それすらも行きわたらない方方が出るかも知れず、至急にしかるべき方に命じて対策を講じていただきたいと男は言い、さらに言葉を改めた。

「こうして御前《おんまえ》に出させて頂きましたのは、不行き届きをお詫び申し上げるためでござりますが、かたがた当分は冬の間の御行列の御宿を勤めがたく、この儀をお殿さまにおねがいしようと思い参じた次第でございます」

「夜具が足りぬのか」

「はい、夜具もさし上げるたべものも不足しておりまする」

本陣の主は、板谷宿は谷間の村で耕地というものがない、よって飯米は米沢城下でもとめるしかないが、近年は米の値段が上がり、暮らしは苦しくなる一方なので、勢い旅宿を営《いとな》みながら夜具を調達することもかなわない有様である旨を説明した。

藩主の前に出てきたのはそれを言いたいためではなかったかと思うほど、主は雄弁だった。治憲は男を下がらせたあと供頭の瀬下秀有らを呼び、夜具が行きわたらない者には焚火を盛んにして暖を取らせるように命じ、またやや夜が更けると、近侍の者たちに命じて供方の一同に酒を賜った。寒気をしのがせるための心配りである。この処置を終って手焙りのそばにもどった治憲は、物入れから近ごろたしなみはじめた煙草を取り出した。

風と降雪はいよいよ強まるらしく、宿駅を吹き抜けて時おりどっと建物の壁に雪をぶつける風のほかに、谷間のはるか上の方、暗黒の夜空を寸時の休みもなくごうごうと鳴りわたる風の音も聞こえてくる。その音を聞きまた宿の主人が言ったことを思い返しながら煙草をくゆらしていると、心が一方的に滅入ってくるような気がしてくる。これまでは話に聞き、想像の中に手さぐりするだけだった貧しい領国が、闇のむこうにぬっと立ち上がったのを治憲は感じていた。

「これは容易ならんことだぞ」

煙草を口からはなすと、青年君主は小さくひとりごちた。

つぎの日は治憲は山駕籠に乗り換え、国入りの行列はいよいよ峠道にさしかかった。険しく登り降りする峠道を通過する間にも、昨日よりもひどい風雪が、形ばかりに駕籠の上から垂らしてある風よけの布をまくり上げ、扉もない山駕籠の中の治憲の膝は、吹きこんでくる雪のためにはらってもはらっても白くなる。

ぎしぎしと乗物の竹がきしみ、前後をかつぐ陸尺《ろくしゃく》がはげしい息を吐くのを聞きながら、治憲は布を上げて左右の山肌を眺め、山道の下方を流れる沢に目をやった。

山の斜面も水の涸れた沢も、新雪に覆われていた。近い山は頭上に倒れかかってくるかとおもわれるほど険しく峙《そばだ》つところもあるが、丘のようにつづくなだらかな場所もあった。その斜面にはおそらく小楢《こなら》か櫟《くぬぎ》と思われる幹の黒い木木が林立し、降りしきる風雪の中で、まだ枝にしがみついている茶色い枯葉がちぎれんばかりに打ちふるえているのが見える。

しかし山は雑木ばかりではなく、常緑樹に覆われている場所も見えた。暗い緑に覆われた森は強風に押されながらゆっくりと左右に揺れ、時おり上にかぶさる白い雪をこぼしていた。しかしそのうしろに折重なる遠くの山山は風雪に半ば隠れて形もつかみがたい。これがわが領国、と治憲は思った。通りすぎる風景に目をうばわれて、寒さはさほどに感じなかった。

「ここよりまた登りに変ります」

近侍の者の声がし、治憲は駕籠の上に取りつけてある竹の釣手をつかんだ。すると身体はたちまち駕籠の中で仰むけになった。

登り降りが険しい峠道を無事に通過すると、つぎはやや平坦な感じがする場所にある大沢宿である。少憩して旅宿の外に出ると、治憲は馬を呼んだ。

すると近侍の者、供頭、先立ちの小頭など行列を指図する重だった者が異様にあわてふためいて頭をつき合わせ、何ごとか相談をはじめた。そのはてに治憲の前にすすんだ供頭瀬下が言った。

「ご窮屈ではありましょうが、このまま御駕籠にて麓の関根宿までご辛抱ねがいたく存じます」

「馬はいかんと申すのか」

「はあ。参勤の折は、お館さまには上《のぼ》り下《くだ》りいずれにおいても関根の羽黒堂と米沢の御城の間一里の道のみ、馬をお用いになるのが定めとなっております」

「慣例ということだの」

「はい、長い間の慣例でございますゆえ、ここより馬を召されるとなれば、われわれ供の者が、お城に入ってのち上に咎められるのは必定。言いわけも立ちませぬことゆえ、なにとぞお定めの如くおはこびあられたく存じまする」

「しかし、この山坂道、ことに今日は格別の風雪の中なれば駕籠を舁《か》く者らがあわれじゃ」

「駕籠の者らは、これが仕事、お役目でございます。駕籠はいらぬと仰せられては、かえってかの者らが困惑いたしましょう」

「よし、いまの言葉は心にとどめておく。しかし今日は初の入部の日、わしもはじめて見る領国を馬上から眺めたい。わしの我がままとして許せ。その方らに咎めがおよばぬよう、わしから上の者に言っておく」

言い分を通して治憲は、大沢宿から馬に乗った。たちまち身がこごえるような寒気に襲われ、吹きつける風雪に合羽を着た治憲の身体は真白になったが、しかしそうして顔を雪に打たれ、山道を馬をあやつってすすむ間に、治憲はむしろ風と雪に気持が鼓舞されるのを感じた。艱難何するものぞと思った。しかしこのときの大沢宿からの騎乗も、また十一月三日から行なわれた初入部の祝儀で、大倹の際であるからと慣例の馳走の料理と酒を赤飯と酒に変えたことも、さらにはその際に三扶持方以下足軽に至るまで親しく藩主の前に呼んで声をかけたことも、またしても旧来のよき慣例をやぶるものとして重臣らのはげしい反発をよぶことになった。

一部をのぞく重臣層の、家督相続以来の新藩主治憲と竹俣当綱らに対する反感は、蓄積されて巨大なものとなる気配をつよめていた。

二十

支侯の駿河守勝承と勝承の叔父上杉勝延が二ノ丸の隠居御殿からもどり、琴女を連れて下城するのを見送ったあと、治憲は御座の間に帰ってしばらくぼんやりと障子に映る日の光を見ていた。部屋の中には成熟した女性の匂いと、その人がそこに坐ってつつましく物を言ったり微笑したりした余韻のようなものが残っていた。

――女人とはかくのごときものか。

と治憲は思った。何かしら限りなくゆたかなものに包まれて時をすごしたような、満ち足りた気分がある。

琴女はつい先日、治憲が国元におく側室と決まり、ごく内内に祝いの盃を済ませたばかりの女性である。上杉の一族式部勝延の娘だった。勝延は吉良家から入った五代藩主綱憲の六男であり、したがって新田藩主上杉勝承、また大殿と尊称されている隠居の重定にとっても叔父にあたる人物である。

国元におく側室のことに最初に触れてきたのは竹俣当綱である。去る四月の半ばごろに、城に登ってきた当綱は治憲に挨拶を済ませたあとで、唐突に麻布の殿からわれら奉行あてにお手紙を頂戴しましたと言った。

趣旨は殿に側室をすすめ参らせよ、ということでしたと言ってから、当綱は身を起こして治憲をじっと見た。

「御前さまが病身であられるということは、われわれもうすうす承知しておりましたが、御子誕生もおぼつかないほどにお弱いとは、麻布の殿の今度のお便りではじめて承った次第。いや、迂闊なことでござりました」

竹俣らは、幸姫《よし》のいわゆる病身のことをどの程度まで知っているのだろうかと思いながら、治憲は黙って当綱の言葉を聞いていた。

咳ばらいをひとつして、これは失礼と詫びてから当綱はつづけた。

「いや、われらもいずれお部屋さまとなられる方のことを考えないわけではありませんでしたが、ゆるゆるでよろしかろうとのんびり構えておったところがございました。しかし事情が申されるごとくであるとしますれば、事をいそがねばなりません。麻布の殿は、当然ながら殿に御子誕生のあてのないことを憂えておられます」

「いそぐことはなかろう、竹俣」

と治憲は言った。

「大殿には徳千代どのがおられるし、保之助どののもおられる。危惧するにはおよばぬ」

徳千代も保之助も治憲が上杉家の養子に内定した宝暦九年以後の生まれであるが、隠居重定の実子である。したがって武家法の定めによって二人のうちのどちらかがいずれ治憲の順養子となり、上杉家を継ぐことになる。また理由があって山内氏を称しているが、昨明和六年正月に生まれた逵之助《きのすけ》という男子もいて、上杉家の相続を不安視する必要はない、と治憲は言ったのだが、当綱の考えは違うらしかった。首を振った。

「こと当家に関しては油断は禁物でござります。寛文の二の舞は何としても避けなければなりません」

そう言ってから、当綱はふといかめしい表情をくずした。

「お部屋さまの人選につきましては少少あてもありますが、来月はじめに支侯さまが帰国なさる由で、その折にくわしく申し上げげまする」

当綱がそう言ってから二十日ほどがたち、五月五日に米沢新田藩主上杉勝承が帰国した。その挨拶のために城にのぼってきた勝承は、治憲と歓談する間、側室などということはおくびにも出さなかったが、やがて二、三日後に登城して再度そのことに触れてきた竹俣当綱は、以前とは顔いろが違っていた。

当綱は人払いをねがった上で、執務部屋から御座の間に場所を移すように治憲に要請した。

「麻布の殿からはじめて御前さまのご病身の中身をうかがいましたが……」

言いかけて当綱は、このあとはご無礼にあたることも申し上げなければなりませんが、おゆるしねがいますと言ったあとで、言いにくそうに髭のそりあとの青青としたあごをぶるんと手でひとなでした。

「うけたまわりましたところ、御前さまにはいまだ童女の態にてご同衾《どうきん》もかなわぬ御身ということでござりますが、真実でござりましょうや」

「そのとおりだ」

と治憲は言ったが、一瞬どこかを切られたような痛みが身体の奥を走り抜けたのを感じた。おそらくは無意識の深く秘匿したい場所をあばかれた痛みだったろう。

去年の八月に、治憲は幸姫と婚礼の式を挙げた。対面したそのときの呆然とした気持を、治憲はいまも忘れることが出来ない。幸姫は十七歳、花のさかりを迎えようとしている乙女であるはずのそのひとは、十歳ほどの少女にすぎなかったのである。これには何かのからくりがあるのではないかとふと治憲は疑ったほどだが、何の間違いもからくりもなく、盛装して目の前にいる少女が幸姫だった。

　ただし幸姫は、身体に相応して知能も遅れているとは言い難いところがある女性にも見えた。少女ながら美貌だった。面長だがふくよかな顔立ちの中で、きらきらとかがやく瞳を治憲に据え、唇をきっとむすんで治憲を見ていた。と思う間に、幸姫は目にいたずらっぽい笑いをうかべた。その表情はあかるく、姫がこんなに小さいのでびっくりなさっているのですね、と語りかけているように治憲には思われたのだった。

「さようなことであれば、もっと早くわれらに打ち明けていただかねばなりません」

　当綱はまだ狼狽の残る表情でそう言い、側室となられる方の大体が決まりました、と言った。一族の上杉式部勝延の娘で名前は琴であり、母が亡くなったあと、家に残る末娘として父の世話と屋敷の日常を取り仕切ってきたがために婚期に遅れたが、ふっくらとした人柄で和歌にも堪能であるとつづけたあとで、当綱は何気ないふうにつけ加えた。

「お齢は三十、殿とは少少齢のひらきが大きいようにござりますが、そのことはおそらくお気になさるにはおよばぬと存じます。それがしがなぜそう申すかは、一度お会いになればすぐにおわかりになるはず。あ、それから式部さまは殿の祖母さま瑞耀院さまの兄君でござりますので、琴どのは殿のおなくなりになられた母君とは従妹の縁となります」

　当綱が言った琴女が亡母の従妹であり、またわが幼時にかわいがってくれた祖母の姪であるという言葉は、治憲の心を琴女に大きく傾けるように思われた。

　そして当綱が言ったもうひとつの言葉、一度会えば齢のひらきなどは気にならなくなるはずということも、今日の一刻近くを琴女と二人だけでさまざまに語り合ったあとでは、そのとおりだったとうべないたくなるようなものだった。琴女はやや大柄な上に挙措も物言いもおっとりと静かで、治憲の言うことをやわらかく受けとめて包みこむように思われた。それでいて時おりはつつましく女子らしい羞らいも見せた。

治憲が、女人とはこのようなものであるかと心に嘆じたのは、ひさしく大人の女の心に触れていなかったせいでもあるだろう。琴女は治憲にそのことも思い出させて去ったようでもあった。

琴と生涯を契ることが出来ればしあわせであろうと治憲は思ったが、その気持は野放図な喜びにつながるわけにはいかず、痛みをともなっていた。

無事に婚礼の儀が済んだあとで、幸姫の養育にあたってきた老女の言ったことが、いまも治憲の心を去らない。

「方外のおねがいとは存じますが、これからのち時には世のつねの夫婦のごとく、姫と褥《しとね》をともにされておやすみになっていただきとうございまする。姫もまた、そのようにのぞんでいることと思いますので」

そう言い終ったとき、謹厳な容貌をもつ女の目にどっと涙があふれ、老女は袂を顔に押しあててしばらく治憲の前も憚らずしのび泣いたのだった。余にまかせよ、姫を決して粗略にはあつかわぬと治憲はそのとき約束した。

そしてそのつぎのある一夜のことも、なかなかに忘れがたく治憲の胸に残っている。幸姫が常人でないと知ったときのおどろきはなみなみでないものだったが、ただひとつの救いは姫がごくあかるい性格の女性だったことで、そのことはともすると沈みがちになる治憲の心を引きたてた。

執務が一段落して休息の時がおとずれるときなど、治憲はふと思い立って奥に幸姫の様子を見に行くことがある。すると姫はよろこんで、お館さま歌留多あそびをしましょうかとか、雛あそびはおいやですかなどと、しきりに遊戯に誘う。治憲が相手になってやると、嬉嬉としてまつわりつきなかなか放そうとしなかった。そういうときの幸姫は、やはり十歳の少女に異らなかった。

ところがその夜、寝所をおとずれた治憲をむかえた幸姫は、日ごろの快活な面影は影をひそめて、形は少女ながらどことなく大人の雰囲気を身にまとっているように見えた。もっともそれは多分に部屋に焚きこめてある伽羅《きやら》の香とか、幸姫の身をつつんでいる白絹の寝衣などのせいだったかも知れない。

そう思い返して、治憲は案内の女たちが帰ると、ごく気さくな口調で、さて、姫、ではともにやすもうかと声をかけたのだった。すると幸姫が言った。

「お館さまと姫は夫婦《めおと》でありますゆえ、このようにいたすのでございますね」

そのいかにも心得顔の幸姫の言葉には、治憲の軽い緊張をほぐす力があった。治憲は微笑して、そのとおりだと言った。

そしてともに臥して肩を抱いてみれば、幸姫はやはりごく骨細の少女だった。幸姫は軽く目をつむって治憲の胸に縋っている。これでいいのだ、としばらくして治憲は思った。これも一期の縁、わが運命と思いさだめてこのひとを大切にしよう。

そう思ったとき、ふと幸姫の身体がやわらかくなり、そして何としたことだろう、治憲は紛れもない成熟した女人の香を嗅いだような気がした。はっとして幸姫の顔を窺いみると、腕の中にいるのはやはり少女で、姫はもうかすかな寝息を立てているのだった。

さっきから日差しが強すぎると思いながら障子を見ていたように思う。治憲はふと夢想からさめて「お、お」と言った。すぐに立ち上がった。

明和七年のこの年は、梅雨どきに雨が不足した。そこで治憲は林泉寺の虎関和尚に雨乞いの祈禱を命じたところ、一時は領内の田という田がくまなく潤うほどの雨が降った。しかし今年はやはり旱《ひでり》がちの油断ならない年とみえて、雨はその後ふたたびぴたりとやんだまま一滴も降る気配がない。来る日も来る日も領国の上には強い日差しが照りつけ、水不足の田には熱風が吹きわたって育ちのわるい稲をそよがせていた。

梅雨が上がるにはまだはやい時期で、村村には、いまからこの有様ではやがて田に罅《ひび》が入るのではないかと不安の声が挙がっているという報告があったので、治憲は再度虎関和尚を呼び、奉行列席の上で雨乞い祈禱を命じることになっていた。

今日がその日で、もはや約束の時刻が来ているのに側近の者が呼びにこないのはさっき人払いを命じたためで、かれらを責めるわけにはいかない。治憲はいそいで部屋を出た。そして表の式台の方に歩きながら、この際はあのことも先にのばすべきものかと思った。

琴女の本丸御殿入りが決まったあと、奉行たちは協議して、破損いちじるしい本丸御殿の奥住居の修理工事をすすめていた。しかし旱魃のおそれが出てきて寺院に雨乞い祈禱を命じているときに、側室のための城内工事を行なわせるのはいかにも領民の不安に無頓着な行為のように思われてくる。もちろんかりにここで工事を延期すれば、琴女を本丸奥に入れるのは一年先、つぎの帰国のころになるだろうが、治憲の胸の中にはそれでよいという気持もあった。

それは藩主となるからには民の心をわが心としようと思いさだめた初心にしたがうことでもあったが、そこにいくらかは、少女のままの新妻幸姫に対する哀憐の気持もまじっていることを、治憲は承知していた。

二十一

安永二年の六月はじめのある夜。今年はこれまで三年つづいた旱不作を上回る大旱魃になりそうな徴候が、あちこちに出はじめたというので、領内が雨乞い祈禱で騒然となっている最中に、奉行職千坂高敦の屋敷でひそかな会合がひらかれていた。

燈下に顔をそろえているのは屋敷の主《あるじ》千坂高敦、もう一人の奉行色部照長、江戸家老の須田満《みつ》主《たけ》、侍頭芋川延親、清野祐秀、平林正在の六人で、いずれも歴歴の重臣である。

千坂が言った。

「兵庫どのが遅れているが、縫殿《ぬい》どのは帰国したばかりでお疲れだろう。そろそろはじめようか」

「いや、それがしへの斟酌ならご無用に。疲れはもうとれ申した」

と芋川延親が言った。延親は治憲が進める改革に反対し奉行職をやめて隠退した芋川正令《まさのり》の嫡男で、二年前に侍頭を命じられている。齢はまだ二十四、親に似て豪胆の評判がある男だった。

延親は去る四月末に治憲が帰国すると、即日将軍家への帰国御礼の使者を命ぜられて江戸にのぼり、使命を果して二、三日前に帰ってきたばかりである。千坂はそのことを言ったのだが、須田満主がそばから若い者をいたわることなどいらんと言った。

「いたわるならわしにごくろうだったのひと言ぐらい言ってもらいたいものだ。今度の旅は疲れた」

「それはごくろうであった」

と色部が言った。須田も帰国の行列に附き添って、四月に帰国したばかりだった。色部は挨拶の言葉をかけてから、須田に微笑をむけた。

「殿ご帰国の日は、わしはべつに手がはなせない公務があってお出迎えに間に合わなんだが、聞くところによると、伊豆どのは当日、だいぶ派手にふるまわれたらしいの」

「なに、日ごろのとおりにふるまっただけでござる」

二人の問答を聞いて、一座の者がどっと笑った。

帰国の行列が城下に入ると、治憲は山上福田橋で、また王城大手前でと二度下馬し、会釈して徒歩で通過した。去る二月の末ごろに、志ある家臣らの奉仕、いわゆる諸士手伝いによってこの二カ所の道路の破損場所が修復されたことを聞いていて、かれらの勤労に謝意を示したのである。

当然つきしたがう家臣らで馬に乗っていた者は、治憲にしたがって下馬し、徒歩でその場を通った。大倹令下なので治憲は木綿着、木綿の羽織である。そしてこれも当然ながら供の者たちも身分の高下にかかわらず木綿着だった。

その中でただ一人、江戸から供奉《ぐぶ》してきた須田満主だけは、縮緬羽織を着て馬に乗ったまま、治憲のあとから悠然と通り過ぎたので、出迎えの家中、沿道の庶民の評判になった。色部はそのことを言ったのである。

「殿のお考えとしては、家臣の苦労をいたわるという意味かも知れんが、わしに言わせればとるに足らぬ些事だ。一藩の主、まして名誉ある上杉のお館がやることではない」

須田は言ったが、言っているうちに日ごろの憤懣がこみ上げてきたというふうに、顔が真赤になった。

「御みずからの木綿着用、一汁一菜、先年の雨乞い登山、諸士手伝いに対する謝意、すべてそうだ。やることがいちいちこまかすぎる。木綿着も一汁一菜もけっこうだ。だが何もご自分でやることはない。命じて、藩主ご自身は絹布を用いて悠然としておればいいのだ」

雨乞い登山というのは、三年前の六月、領内の寺院に雨乞い祈禱を命じているものの、効験はいまひとつはっきりせず、いよいよ旱魃の相が険しくなってきたので、治憲は竹俣当綱、色部照長の両奉行に供を命じて城の南西の遠山村にある愛宕山に徒歩で登った。そこで雨乞い祈禱をして下山すると間もなく沛然《はいぜん》と豪雨があった時のことを指している。

須田はなおも言いつのった。

「いまは平時だからまだよい。これが戦国の世であったなら、殿にはとても一国の主はつとまらぬ。一国の軍をひきいる大将は、将士を死地に投入して自身はでんと構えていなければ戦には勝てんからの」

「以前に大殿のことを無能の殿だ、領内の困苦をよそに乱舞に狂っていると非難したものだが……」

と色部が言った。

「いまのお館をみておると、たしかに伊豆どのが言うとおり、こまかに気を遣いすぎるところはある。いささか先の殿のころが懐しいという気がせぬでもない」

「領民がどうくるしもうと、藩主たる者は十五万石の格式で悠然と構えておればいいのだ」

「そう言っては少少行き過ぎではないかの」

千坂が須田をたしなめた。そして千坂はほかの者の顔を見回してから言葉をつづけた。

「しかし気持としては須田の申すこともわからんことはない。やはりナニかの、小藩のご出身は争えぬということかの」

千坂の言葉にみんながうなずいた。そしていまの言葉をそれぞれが確認するような沈黙が部屋を覆ったが、清野祐秀がその沈黙を破った。

「近ごろ諸士手伝いが多すぎはしませんかな。先月は五十騎組による小鈴川村の荒地開拓というのもあったし、それがしはこうした風潮が甚だ気になる」

「気にして当然。武家が百姓の真似をしておるのだ。武家と庶民の区別がなくなってはもはや末世だ」

「いったい、いつからこんなふうになったのかな」

これまで沈黙していた若手の侍頭平林正在、芋川延親がつぎつぎと発言した。

「材木の伐り出しからだろう。わが父は諸士手伝いは裏に策略する者がいると断言しておる」

芋川の言葉に、清野祐秀がずばりと言った。

「竹俣どのを指しておられるのだろう。竹俣どのはそのような仕方で低き身分の者たちの心をお館に近づけようと画策しているように思える。それでもってお館に人気をあつめようというお気持かも知らんが、少少露骨に過ぎはせんか」

材木の伐り出しは、前年二月に目黒行人坂の大円寺が火元の火事が折からの強風にあおられて江戸一円を焼く大火となり、この火事で米沢藩の麻布、桜田両江戸屋敷も焼亡したので、その再建の用材を領内から伐り出して江戸に船積み輸送したときのことである。この火災にあたって治憲は、家中に三年間百石につき二両の出金をもとめると同時に組頭を呼び、江戸屋敷再建について、勝手向き困難のときなので、諸士力を合わせて御家が立つように頼み入る、またこれについて考えがあれば遠慮なく述べるようにという諸組に対する諭達を行なった。

これを聞いて家臣らは感激し、貧困のわれらが家産を尽してたてまつるとも何ほどのことが出来ようか、君憂える時は臣辱めをかえりみずという、この上はいかなる賤役をもこばむべきではないと言い合い、五十騎組、与板組が材木伐り出しの手伝いを申し出たという。このときは奉行の竹俣当綱が会津境の塩地平の深山幽谷に入って、諸士とともに蓑笠をつけて伐採の指揮をとった。

「外に竹俣美作あり、内に莅戸《のぞき》九郎兵衛ありで、この二人が近ごろわが藩を動かしておると申しても過言ではない。われらが承るのは雑用だけで、大事の御用においては蚊帳の外だ。両人いかに器量があると申してもこれでは正しい形とはいえぬかも知れんな」

色部が言うと、須田はその穏やかな言い方にいら立ったように声を荒らげた。

「器量人なものか、奸佞邪智のやからだ。莅戸の出世ぶりを見よ、そのすみやかなることおどろくばかりだ」

昨年の九月、莅戸善政は町奉行から御小姓頭に挙げられ、百石の加増をうけて三百石の上士となっている。それればかりではない、と須田は言った。

「貴公らは何とも思わぬか。わしはいまの殿初入部以来、領国にろくなことがないのが気になっておる。今年もどうやら旱魃らしいが、そうなるとこれは四年つづきの旱魃、わが領内だけでないとも聞くが、また米沢ほど被害が大なるところはないともいう。加えて江戸屋敷の焼失じゃ。いろいろと政治建て直しの手も打っておられるようだが、そちらはさっぱり験《しるし》がなく、わるいことばかりがつぎつぎとおこる」

須田が声を張り上げて、これもみな奸佞邪智のやからが藩政を動かしているためではないのか、と言ったとき、侍頭の長尾景明が到着して遅れ申したと詫びた。

さて、と千坂が言った。

「殿に申し上げる不満の条条は、のちほどなおゆっくりと話し合い、煮つめるとして、兵庫どのも来て顔がそろったところで、伊豆どのから阿波徳島藩の処分の仔細を聞こうではないか」

千坂がそう言うと、ほかの五人は須田満主をのぞいてにわかに緊張した顔を千坂と須田にむけた。

「わしが江戸家老を命ぜられたのは明和三年、いまから七年前のことになるが、そのころにたびたび阿波の蜂須賀侯は名君であるといううわさを聞いたものだ」

それにひきかえわが殿は乱舞ばかりがお上手で、とぼやく者が多かったのと言って、須田満主は一座の人人をじろりと見回した。その無骨な諧謔は若手の侍頭たちには通じて、彼らは顔を見合わせ清野祐秀がくすくす笑った。大殿の重定が隠居するのはその翌年のことである。

「窮乏する藩財政を救うために、はなばなしい改革を行なっているという話だった。ところがその蜂須賀侯は、三年後の秋には家督をご子息に譲って隠退された。それも幕府命令によってだ」

「そのへんのことは前にも聞いておる。今夜はもそっと新しいことを聞きたいものだ」

と色部が言ったが、須田は無視した。

「わしはなんとも腑に落ちなんだ。改革のすすめ方に手落ちがあったか、どうもそうではないらしい。専制の行ないありとも聞いたが、その中身はわからん。そこでずっと気にかけて、桜田屋敷の者にも折あらばその片鱗たりとも聞き質すように言いつけておったのだが……」

肝心のところはなかなかわからなかったと須田は言った。

阿波徳島藩主蜂須賀重喜は英明の藩主だった。宝暦四年に、十七歳で秋田新田二万石の佐竹家から養子にむかえられて蜂須賀家を継いだが、当時の徳島藩は、未発に終ったものの藍玉専売制の廃止と貢租の減免を掲げる大規模な農民一揆が起きかけた。背景にあったのは凶作と暴風雨による農村の疲弊、領民の窮乏である。藍玉製造は窮乏する領民の最後の拠りどころだった。

こうした状況にみられるように、当時の徳島藩は姑息なやりくりではない、根本的な藩政改革の必要にせまられていたが、藩政は格式を誇る家柄の出である家老たちの専断にゆだねられていて、藩主が介入する余地がないのが実情だった。新藩主重喜はそうした身分による藩の役職独占の弊害を改めないかぎり、思い切った藩政改革は不可能だと見抜き、宝暦九年に、家格、身分によるのではなく、行政の能力によって藩の役職を決める「役席役高の制」をまとめ上げた。人材登用に道をひらいたのである。

重喜はこれに反対する家老たちを粘りづよく排除し、七年後の明和三年には新法の実施に漕ぎつけた。そしてつぎにこの新しい役職機構のもとで藩の再生をはかるべく、倹約令の発布、備荒穀倉の設立、放鷹地の開墾、葬送礼の儒教化、問題の藍玉専売仕法の改正など、広範囲な改革に踏み切った。しかしそれから三年後の明和六年に、蜂須賀重喜は幕府命令による処罰隠居の形で失脚した。

「ところが近ごろ、こういうものが手に入った」

須田は言うと、懐から袱紗《ふくさ》に包んだ物を取り出した。袱紗の中身は鳥の子紙にはさんだ二葉の書類のようなものである。須田は写しだと言って、まずその一枚を一座の人人に回覧させた。千坂は読まずにすぐそばの平林に回したが、おそらく今夜の会合に出る前に須田に見せられているのであろう。

最初の写しには、つぎのようなことが書いてあった。一、代代の家法取り乱し候こと、一、国政取り乱し国民難儀におよび、無筋の仕置き申しつけられ候こと、一、家中譜代の者へ糾明これなく、仕置き申しつけられ候こと、一、自分の遊興に誇り、家中国民とも難儀におよび候こと。

「ご覧いただいたのは、蜂須賀家の家老に対する幕府のお尋ね書だ」

手もとにもどってきた写しをたたみながら、須田が言った。

「お尋ね書を持つ幕府の使者が江戸屋敷にきたのは、参勤の蜂須賀侯の行列が江戸に着く一日前のことだったと申す。お尋ねの中身は見られたとおり容易なことではない。これが幕府の公式の吟味の場に持ち出されるということになれば、徳島藩の浮沈にかかわる大事にもなりかねぬ」

当然、翌日江戸屋敷に到着した蜂須賀家の重臣たちは、これを知ると迅速に動いた。親戚大名を廻り、重喜の隠退を打診し、場合によっては家臣による重喜の押し込め隠居もあることもほのめかした上で、幕府の訊問に答えたが、幕府の態度が予想した以上に強硬なのを知ると、今度は重喜に面談して隠居退身を承諾させた。事を蜂須賀家内の藩主交代劇にとどめたいのが狙いである。

しかし蜂須賀家重臣の必死の工作もむなしく、幕府は彼らの意図した穏便な隠居願いの提出をゆるさず、重喜を処罰隠居とした。

「これがその際の幕府の申渡し書の写しだ」

須田はそう言うともう一枚の書付けをだし、ふたたび一座の者に回覧した。今度も千坂は読まずに隣に回した。

写しの書付けは、松平阿波守という一行のあとに「政事の儀よろしからざるに付、家中国民ともに難儀におよび候取沙汰、養子のことにも候えば、養家に対しかたがた慎しみ成らざる儀に思召し候、これによって隠居これ仰せつけらる」という文言が記されたものだった。

書付けが一巡して手もとにもどると、須田は二通の書付けを丁寧に鳥の子紙におさめ、さらに袱紗につつんで懐にしまった。

「幕府の申渡し書はここにはないが、このほかに二通があり、一通は重喜侯の嫡子千松丸君に、相違なく家督を下される旨をしたためたものであり、もう一通は、これをぜひおのおのがたの耳に留めていただきたいものだが、こちらは徳島藩家老あてで、重喜侯の仕法を廃して、前前の家法通りに政治を行なうように命じるものだったと申す」

色部がほほうと言い、若手の侍頭たちは無言で目を光らせた。千坂は小さくうなずいている。その様子を見回してから、須田が駄目を押した。

「つまりだ、いかにすぐれた改革であろうと、徳島藩代代の仕法を潰すものであってはいかんということだの」

「むろん改革がいかぬということではないと思う」

ひきとって、千坂が慎重な言い回しをした。

「かの藩では、代代力ある家老たちが藩政を仕置きしてきた。その形を崩してはならんということだろうな」

「藩主の直仕置きとなると、家臣が遠慮して諫争する者もいなくなるという事態も起きかねんからの」

と色部が言うと、須田がそうそう重喜侯に専制の行ないありというそのうわさだが、と言った。

「やはり、うわさのようなことは二、三あったようだ。じつはかの藩には蜂須賀家の血をひく正系のお人がおられるのだが、病弱のために家を継がれなかった。しかしこの方の御子は病弱ではないので、重喜侯は本来はその御子喜憲と申される人だが、これを順養子とすべきところを、そうしなかったらしい。喜憲という人を中老にして千五百石をあたえた、ということは家督をご自分の嫡子千松丸に譲ることを内外に表明したということでの、専制のそしりを免れないところだ」

ほかにも、領民に倹約を強いながら、ご自分は豪奢な別荘をつくった、あるいは改革の方針に協力的でない家臣、役人をどしどし処罰するなどということがあったらしいと須田は言った。そして最後につけ加えた。

「このあたりは、わがお館とは少少違うところだ」

須田がそう言ったあと、一座にはまた深い沈黙が落ちた。その沈黙の中で、人人はそれぞれに阿波徳島藩と現在の米沢藩、重喜とお館治憲をくらべていたはずである。その証拠に、やがて平林正在がぽつりとそれにしても似ておられると言った。

「小藩からむかえられたご養子であるということ、改革にご熱心であられるということ」

「側近を重用して重臣を遠ざけ、越後以来の格式、よきしきたりをことごとく無視なされていることもだ」

芋川延親も平林に和して語気鋭く言った。父親に似て血の気の多い延親は、顔を紅潮させている。若い者の憤慨をあおるように、須田がされぱこそ蜂須賀侯の失脚をわしが気にかけたのもそれが念頭にあったからだと言った。

その顔をちらと見てから色部が発言した。若手の興奮をあおるのは感心せぬというように、色部の声はごく冷静だった。

「さきほどの伊豆どのの話の中に、善後策をさぐって親戚藩を回ったかの藩の重臣が、主君重喜侯の押込めをほのめかしたということが出て参ったが、主君たるものにそのような振舞いをして、重臣らが幕府に罰されるという心配はないのか」

「それはない」

と須田がきっぱりと言った。

「わしもそのあたりのことはずいぶんと調べた。たとえば宝暦二年に隠居した岡崎藩の殿水野忠辰侯なども、家臣の手で座敷牢に押込められた方だったようだ」

「これもなかなか学問の出来たお方らしくての」

と千坂が補足した。千坂と須田が、かなり以前からこうした事例の収集につとめてきたらしいことを窺わせる発言だった。

「ご自分の理想とする新しい藩政を実現するために、人材を登用して側近を固め、重臣らと対決したものの、かれらの反発に遭って改革が途中で潰れてしまった。で、そのあと遊興に走って家臣の手で座敷牢に押込められたという次第だ」

「それでも、重臣たちに対しては幕府のお咎めはなかったと？」

清野祐秀が念を押した。須田はやはりきっぱりとうなずいた。

「何もない。岡崎藩の重臣らは幕府に忠辰病気ととどけ出て分家から養子を入れた。その上で忠辰侯より養子忠任の家督相続を願い出たところ、幕府はすんなりとこれを認めておる」

「内内岡崎藩の内紛、押込めの一件も知っていたにもかかわらずだ」

千坂がまた補足した。そしてもっとも岡崎藩重臣から、幕閣に対して多少の働きかけはあった模様だとつけ加えた。

千坂はそこで集まった人人をぐるりと見回し、思うに、と言葉を継いだ。

「むかしは主君と家臣が対立すれば、幕府の裁断はまずはほとんど例外なしに主君側の肩を持ち、家臣らを重く罰したものだった。しかるに近年はそうではなく、主君といえども藩の秩序を乱すことはゆるされぬというふうに変ってきておる。殿さまの権威よりもお家が大事と変ったと申してもよかろう。その時期はといえばおよそ第四代の将軍家厳有院殿さまのころかららしい」

言い終ると千坂は、これからが大事の相談ごとになるが、少し疲れた、一服しようかと言った。千坂は家臣を呼んで茶をはこばせ、人人は茶を喫し、煙草を吸う者は煙草を吸ってくつろいだ。しかしその間にも話題は諸士手伝いや下士、庶民の間にまでひろがっている雨乞い祈願のことなどに終始した。

「中間組、足軽組なども城下の神社に雨乞い祈願をしたそうだが、なにか上に対する忠義立てのようであまり感心せぬ」

「忠義立てというよりは、一体にそれが近ごろの風潮のようになってきておるのではないか。自分だけが加わらぬでは恰好がつかぬとか。こういう風潮は好ましいとは言えぬ」

「これも、裏でそそのかす者がいるのではないか。諸士手伝いと同じだ」

芋川延親が言うと、長尾景明がそれはどうかのと言った。長尾は分別に長《た》けた冷静な性格の男だった。

「足軽組にしろ町人にしろ、雨乞い祈願をした者には上から御酒《ごしゅ》をくださるのが慣例となっておる。中には、仕事を休んだ上に酒をのめるので出かける者もおろう」

長尾兵庫の言葉に、若い侍頭たちはどっと笑った。しかしと、笑いやんだ芋川が言った。

「御酒で思い出したが、先月の小野川村の荒地開墾のときには、御《お》ねぎらいと称して開墾地を見舞ったお館が、手伝いの五十騎組をはじめ、身分軽き者のためにご自身で酒樽の口をひらいて酒を賜ったそうだ。それにつづいて竹俣はじめ役職にある者、近習がひしゃくで酒をついで回ったというのだが、お見舞いはともかくそこまでやることはない」

芋川の声が、またしても尖ってきたときに、千坂がさて、このさきは少し膝を詰めて談合しようかと言った。

「さきほどの蜂須賀家の事件のことだが、幕府の問い糺しの中に、重喜侯が意見する者を処罰してしまったので、いまは諫言する者がいないということかという一項があったそうだ。幕府はそれぞれの家には諫言をなす家臣がいなければならぬと考えているのだ」

千坂は六人の顔を見回した。少し声をひそめて言った。

「われらも大いにお館に諫言したてまつろうではないか。しかし聞かれぬときはいかがするか。

これについては伊豆どのが、帰国してからこのかた、人にも会わずに考えを練ってきたことがあるので、まずそれを聞こう」

千坂がそう言ったとき、突然に家のまわりや屋根にぱらぱらと物のあたる音がした。と思う間に物音は騒然とした雨音にかわり、雨はやがてごうごうとひびきわたって千坂屋敷をつつんだ。

千坂は口をつぐみ、ほかの人人も顔を上げてひさしく聞かなかった雨の音に耳をかたむけた。懸命の雨乞い祈禱にもかかわらず、旱魃は静かに休みなく進行していて、領内の一部には虫の被害が出はじめていた。無言で雨の音を聞きながら、人人は突然のこの雨が、あちこちに黒ずみが見えはじめた稲田に、起死回生の力を与えるめぐみの雨になるのかどうかと推しはかっていたのである。

二十二

安永二年六月二十七日の早朝。米沢城下は長く寝ぐるしい夜のあとにおとずれたつかのまの安息につつまれていた。

建物や樹木、そして東にむかってひらけた道の路地には、わずかに赤味を帯びた日の光がさしかけているものの、裏手の路地にはまだ夜の名残りの気配が淀んでいる。夜気はようやく冷えて、本来なら季節は秋に入りかけていることを思わせる光景だった。

だが事実は、日がのぼりきってしまえば大気はまたしても徐徐にあたためられて、やがて真夏同然の暑熱が大地を覆いつくしてしまうはずだった。その中で狂ったように蟬が鳴き、直立して枯死している稲が斑点のようにひろがる稲田を、日はじりじりと焦がしはじめるのだ。

しかしその朝は、日がのぼりきる前に米沢城下の屋敷町に異様な光景が見られた。襷《たすき》、鉢巻に足もとを草鞋《わらじ》で固めた、ごく小人数の下士の数隊が、右に駆け左に駆けしてどこかに姿を消した。時刻が早かったので、隊伍を組んで駆けぬける足音をあやしんだ者がいるとしても、外に出て姿をたしかめることはしなかったろう。

それからしばらくして、開門したばかりの城門を、供をつれた千坂対馬、色部修理、須田伊豆、長尾兵庫、清野内膳、芋川縫《ぬい》殿、平林蔵人ら七人の重臣がつぎつぎと潜った。城門を警衛する藩士は早朝に何事かとおどろいたに違いない。重臣たちの前に登城してきてその門を潜ったのは、治憲の近臣佐藤文四郎秀周ただ一人だったのだから。

登城した重臣たちは、二ノ丸の会談所であとからくる者を待ち、人数がそろうと簡単な打ち合わせを済ませてから本丸御殿にむかった。

その朝、治憲はいつもの時刻に奥御殿を出て執務室に入った。治憲の執務に取りかかる時刻ははやい。

宿直の者がきて朝の挨拶をすると、執務机のそばに茶と煙草盆を置いた。

「ほかに、ご用はございませんか」

「別段、ない。あ、誰かきておるか」

と治憲は言った。近習の者の姿が見えないのを、ちらと不審に思ったのである。

「さきほど佐藤文四郎を見かけましたが、はて、そのほかの方方はまだのようにござりまする」

「よい、じきに参るだろう」

宿直の者は膝行して部屋を出てから、ふと思い出したようにまだ膝をついたままで言った。

「窓をおあけいたしましょうか」

「よろしい。あとでわしがやる」

と治憲は言った。

宿直の者が去ったあとで、治憲は立って障子窓をあけ、座にもどって茶を喫した。それから小物入れの袋から煙草の道具を出して、一服、二服した。

窓の外は築山の木が繁っているのが見える。費えを惜しんで手入れをさせないので、木は枝葉が茂り放題になっていた。その木木に日の光があたっている。朝の光はいまは穏やかに木木の半面を染めているだけだが、日が南に回るにつれて光はたけだけしく勢いを増し、やがていま開いている窓から真夏のような光と堪えがたい暑熱がこの部屋になだれこんでくるはずだった。

治憲は煙草を喫し終った。道具を丁寧に小物入れの袋にもどしてから、机にむかった。そして昨日郡奉行の長井高康から上がってきた領内の旱天被害の報告書を読み返した。長井は莅戸《のぞき》善政とともに町奉行を勤め、二人ともに庶民の範となるべく日ごろ質素倹約を心がけていたので、「焼味噌九郎兵衛（莅戸）、干菜《ほしな》藤十郎（長井）」とあだ名された名奉行だったが、近年郡奉行に転じていた。

長井の報告はつねに正確で信用出来た。その書類は村村の被害の有様を克明に記したあとで、昨年以上の米の損耗は免れまいと思われると報告していた。治憲の脳裏に、炎天の下の村村を回っている長井の姿がうかんだ。

佐藤文四郎が入ってきて挨拶をしたので、治憲は顔を上げた。挨拶は文四郎一人で、ほかの者、木村高広も志賀祐親《すけちか》、倉崎恭右衛門、浅間忠房も、要するに近習の者は一人も姿が見えなかった。

「文四郎一人か」

と治憲は言った。

「ほかの者はいかがした」

「それがでござります」

佐藤文四郎は困惑した顔を治憲にむけた。文四郎はいわゆる馬づらで、茫洋とした顔つきの男である。

「まだ一人も登城してきておりません」

「なにか、わけがあるのか」

「それが、よくはわかりませんが、それがし察しまするに……」

そこまで言って文四郎は長い顔を天井にむけた。そのまましきりに首をひねっている文四郎を、治憲は黙って見ている。何か変事が起きたのだと思ったとき、文四郎が言った。

「おそらく、一同家にて拘束されておるものと思いまする」

「ほほう」

と治憲は言った。じわりと緊張に身体をしめつけられた気がした。やがてそれに違いあるまい、と思った。佐藤文四郎は一見愚人のように見えるので時に人に侮られたりするが、事実は学問にすぐれ、武術も一流の域に達している男だった。文四郎の言うことは信じられようと治憲は思った。

「すると、竹俣も莅戸もまだ登城しておらんのだな」

「同じくお屋敷にて拘束されているものと思います」

「拘束したのは何者だ」

「おそらくは重臣方七人」

文四郎はその名を挙げた。

「ただいま右の七人の方方が表の間に参られて、お館さまにお目通りをねがっております」

「ふむ」

治憲は膝に目を落とした。心はもう平静を取りもどしていた。一部の重臣が自分や竹俣がすすめる改革を快く思わず、強い反感を示していることは承知していて、いつかはこういうこともあろうかと思っていたのだ。

「その者らは何と言っているか」

「お館さまに申し上げたき儀があるとのみ」

「よし、では聞こうではないか」

と治憲は言った。

「文四郎、供をせい」

「お待ちくだされ」

と文四郎が言った。文四郎は顔面蒼白になり、すさまじい形相をしていた。いつもは半分ぐらいひらいている口をひきしめ、眼光鋭く治憲を見ている。

「重臣たちは今朝、決死の覚悟で登城してきているかに見うけられます。いまこの広い城内に、お館さまとそれがしに味方する者は一人もござなく、四面みな敵と心得るほかはござりません。決してご油断なされず、御胸の内に相応のご用意をなされたく願いたてまつります」

「わかった。そのつもりで行こう」

「では、お供いたしまする」

と言ってから、佐藤文四郎はつけ加えた。

「ただし、お館さまに危難がおよぶようなときは、文四郎身にかえてお館さまをおまもりいたします。ご安心召されませ」


佐藤文四郎を次の間に残して治憲が表御座の間に入ると、そこにいた七人の重臣が一斉に顔を上げて治憲を見、ついで平伏した。七人を代表して千坂高敦が、早朝よりご出座を仰ぎたてまつり恐れ多いことながら、われら七名、お館にじかに訴えたき儀これあり、参上仕ったことをお許しいただきたいと挨拶した。

「よい、おもてを上げろ」

と治憲が言うと、七人は顔を上げたが、その顔面がいずれもこわばって蒼白だった。眼光だけが射るように治憲にむけられている。佐藤文四郎は、かれらが決死の覚悟で登城してきていると言ったが、まさにそのとおりだと治憲も思った。

皮膚がざわめき立つような感触に襲われたが、治憲は腹に力を入れてその感触を静めた。人は治憲のやわらかな外貌からその内面を推しはかろうとするが、治憲の内部には遠く戦国の猛将秋月種実《たねざね》の血が流れている。異常を悟って緊張はしたものの、眼前の七人の重臣を恐れてはいなかった。

「訴えとは何か。遠慮なく申せ」

治憲が言うと、須田満主と芋川延親がすばやく膝行して前にすすみ、風呂敷から出したかなり嵩《かさ》のある書類を献じた。須田が威圧するような大声で言った。

「訴えの儀はこの中に記してござりまする。ご披見ねがわしゅう」

「読めと申すか。ここでか」

治憲は言って、厚味のある冊子をぱらぱらとめくってみた。個条書にした文言がぎっしりと書かれていて、最後に七重臣の署名がある。

「これは長文の訴えだの」

と治憲は言った。

「ここでは十分に読めぬ。執務の部屋に持ち帰って読もう。その方らもいったんさがって、呼び出しを待て」

「いや」

芋川延親が野太い声でさえぎった。

「恐れながらこの場でご披見ねがいたい。ご披見の上でお答えをいただくまで、われらはここをさがらぬ覚悟にて登城いたしてござる」

治憲は顔を上げて重臣を見わたした。顔を伏せている者は一人もいなかった。昂然と胸を張り、挑むように治憲を見ている。

「よろしい。では、そのまま待て」

と治憲は言った。すばやく目を走らせて、紙をめくりはじめた。

訴えは冒頭から、君上（治憲）は家督以来の国政をよしとみているかも知れないが、事実は四民の離反を招いている。これは佞者が君上を惑わしているせいで、そのことにいつ気づかれるかと思って眺めていたが、いっこうに気づかれる様子がないので、つぎのごとき条条を言上することにした、と治憲を暗愚の藩主扱いする前置きではじまっていた。

四十項目を越える諫言と称する中身は、大別して藩主治憲がはじめた改革政治の否定と、竹俣当綱、莅戸善政ら、改革政治をささえる治憲側近に対する攻撃の二点にしぼられるものだった。

家督のはじめに発令した大倹令は、その後打ちつづいた御手伝い普請、水難、火難、旱魃に対してひとつも役立たなかった。去年三月に行なった籍田《せきでん》の礼で五穀成就の祈禱を行なったので、どんな豊年になるかと思ったら、その後は旱魃長雨で五穀は不熟、よく出来たのは小豆だけだった。

倹約はよいが、もともとこのようなことは小事である。ゆえに倹約の風が国中に行きわたったとは見えず、わずかに木綿着を着ることが守られているだけである。諸士手伝いを慰労するために山上大橋で下馬されたこと、小野川の開墾地でみずから樽の口をあけて酒をすすめたのは、いずれも子供だましの行為である。また、一体に文学者は平人に遥かに劣るものを、江戸より細井甚三郎（平洲）を招いて大枚の費用をかけ、藩内に養っているのは無用の僻事《ひがごと》である。たとえすぐれた儒者であっても、一年ばかり滞在して講談して回ったところで風俗が改まるなどということはあり得ない。ましてや甚三郎は油断ならざる者である。

ご家督以来君上が仰せ出されたことで、そのとおりに行ったことはひとつもない。よいことと見えたこともすべて害を生じている。これは越後風質素の律儀を第一とすべきところを、他家の派手な仕置きを好んでさまざまに新法を編み立てて旧法を破る竹俣美作の気質に染まったためで、ご家督以来七年におよぶのによいことは少しも現われず、凶作ばかり続いているのは宗廟社稷《しゃしょく》の咎もあろうかと思われる。

言上はこのように治憲の改革を徹底して批判した上で、その原因は治憲を補佐する竹俣美作の権力壟断《ろうだん》にあると当綱を非難する。しかしこれに先立って言上は、家督相続後の治憲について、つぎのようにも記していた。

「ご当家の儀は歳久しくご正系を以てご相続成られきたり候について、国中の存じ寄りも譜代相伝の主君を仰ぎ奉る儀に御座候ところ、憚りながら君上御事はご正系と申すにもこれなく御他家よりご家督成られ候儀に御座候えば、上下の御ちなみも薄しと申すようなるものに御座候」

であるからして、とりわけ国政大切、四民安堵を心がけるようでなければご先祖、国家に対し本意相立たず、宗廟社稷の冥覧もはかりがたかろうと思っていたところ、ご家督以来文学に心を寄せ、武術も捨てることなく、また国事にも熱心に取り組まれるご様子で、これはあっぱれ天下の大幸と思っていた。

しかるにだんだんと筋違いのことが出てきて、賞罰が明らかでない。政治に不馴れのせいであろうかとみていたが、年を経ても正直順路のご政道というものは見えず、政治の手法は手薄になるばかりである。このような筋違いの政策はどこから出てきたかといえば、元凶は竹俣美作である、と当綱に対する指弾がはじまるのであるが、故意か偶然か、当綱を指弾すればするほど治憲の迂闊さをうかび上がらせる棘《とげ》を、言上の文章は隠しているのであった。

たとえば言上は、美作はお上の気風をよくのみこんで、物事を遠回しにいつとなく思召しにかなうように持って行くのが得手であり、お上は美作儀は上なき忠信の者と思われるかも知れないが、美作儀は上なき奸佞の者であるという。あるいはまた、子供をあつかうときは、はじめにだましてうれしがらせ、その上でわが思うことをのみこませるものだが、美作の君上に対するやり方もこれと同様であるとも言う。

美作は君上を称するにご賢徳とかご仁政、あるいは下下帰服などと言ってうれしがらせているが、すべて虚言である。国中が静謐によくおさまり賞罰が正しく行なわれてこそ、名君ともご仁政とも言うべきであり、今回のように国が貧に乱れているときに言う言葉ではない。また帰服などということも、ただいま国中に十万の人がいるとすれば、九万九千人までは君上に帰服などしていない。帰服しているのは佞人ばかりである。

雨乞い、諸士手伝いを君上は喜んでいるが、これらは家臣の本心から出たものではない。内心は不平不満であっても、美作と開墾の指揮者小川源左衛門の讒《ざん》をおそれて、黙ってしたがっているだけである。

言上はこう述べて、君上は眼力を改めて奸佞をしりぞけ、美作を隠居に、美作に引き立てられて君側にいる佞人たち、莅戸善政、木村高広、倉崎恭右衛門、志賀祐親、浅間忠房らは元組に帰すべきであると主張していた。その上で何をなすべきかといえば、言上はつぎのようなことをすすめるのである。

一、質素律儀の越後風を詮になされ、おとなしくならせられるべく候
一、物堅く厳正なる者をお好みならるべく候
一、ご手段の類を一切ご停止《ちょうじ》なられ候て誠実ばかりを御執り行いならるべく候
一、御口先の理をお捨てならられ候て、お手風厚く成らせらるべく候
一、賞罰の御誤り返す返す御心を御顧みならるべく候

そして、自分たちは格別国を中興するほどの考えはないが、代代家柄を以て奉公してきたので国体を承知している。心をあわせて正直順路にはからいたいと思っているとつけ加えて述べ、最後に佞臣をしりぞけるか、佞臣をとってわれらの役儀を取り上げるか、二つにひとつのご決定を頂きたいと言上を結んでいた。

治憲は顔を上げた。言上は家督相続以来の治憲の政治努力をひとつも認めていなかった。手段

の一語でつめたく否定し、何もやるなと言っているのである。

——それにしても……。

これは何だ、と治憲は首をかしげる思いだった。言上から押しよせてくるのは、なみなみならぬ悪意だった。大倹令も雨乞いも、山上大橋で下馬したことも、あるいは小事、あるいは子供だましの行為と嘲られ、治憲が心魂をこめて執行した籍田の礼はただの揶揄《やゆ》の対象にされている。

籍田の礼は、古代中国で周の皇帝が行なった田地開墾の儀式で、前年三月、治憲は城の西南郊遠山村にその場所を定め、当日は白子、春日両社に参詣したあと籍田の礼にのぞみ、執政以下諸役人に先立ってみずから鍬をとって三揆した。開墾を奨励し、農は国の元とする意志をあきらかにするとともに、五穀の豊饒を祈ったのである。だが言上はこの重要な意味をもつ行事を、よく稔ったのは小豆だけだと皮肉っていた。

悪意はそれだけにとどまらず、言上は二十三歳の治憲を、事の黒白もわからず人物の鑑定も出来ない愚者か、子供のように扱っていた。

「いかがなりや。お読みいただけましたか」

と須田満主が言った。須田の顔にはかすかな薄笑いの表情がうかんでいる。治憲の沈黙を、言上の一撃に茫然自失していると見たかも知れない。

治憲は須田に目をもどした。読んだと言った。そして、ひとつたずねるがと言った。

「この言上の原文を草した者は誰か」

「それはお答えいたしかねます」

須田がぴしゃりと言った。

「強いて申せば、ここにおりますわれら一統。言上はわれらの総意でござります」

治憲はうなずいた。

「それならばよろしい。ところで……」

治憲は語気を改めた。

「ここに書かれておることは、国の大事である。熟慮を加える必要がある。むろん大殿にもご相談せねばならぬ。その方らの求めにはそのあとで答えよう。しばらく待て」

「いや、それは困り申す」

須田は大声を出した。それは無頼のわめき声に近かった。

「ただいま即刻に、お答えいただきたい」

「即刻？」

治憲は鋭く須田を見た。

「この席を立つゆとりもくれぬというつもりかな」

「おそれながら」

「そうか、よし」

と言って治憲は坐り直した。前に出ている二人、うしろに控えている五人をゆっくりと見渡してから言った。

「それでは答えるまえに尋ねねばならぬことがある。この言上書、その方らは諫言書というかも知れぬが、この中には数数の不審がある。わしが尋ねることに答えるか」

「何なりと」

須田がまたそれとわからないほどの薄笑いを顔にうかべた。衆を恃《たの》んで治憲を軽んじているのだ。その様子を静かに注視してから治憲は言った。

「では聞く。ここには国中十万人のうち、九万九千人まではわしに帰服しておらぬと書いてある。事実とすればまことに重大だ。いかなる手段によってこの事実を調べたか、聞きたい」

「調べずとも、自然に耳に入ってくるところはその通りにござる。われらは単なる臆測で申しておるわけではござりません」

「確たる証拠にもとづくものでないということだの。ではつぎに小野川の開墾を手伝った五十騎組は、内心の不満を隠して手伝ったものであるというからには、組の中にさだめしさように不足を申した者が多数おるのであろう。それはたとえば誰と誰か。その者らを咎めはせぬゆえ、名を申せ」

「それはお答えいたしかねまする。お咎めなしと言われても、名を明かせばかの者らが今後に不利を蒙ることはあきらかでござりますゆえ」

言上にある不確かな断定、疑問点、矛盾を鋭く問いつめる治憲の舌鋒に追いつめられて、須田は次第にごまかしの返答も間に合わなくなり、言辞もしどろもどろになったが、それでも治憲が席を立つのを阻みつづけた。

須田の不利を見て、そばの芋川延親がまた大声を出して介入した。君上はもと秋月家三万石の家より養子に入られた方である、と芋川は言った。

「憚りながら上杉家十五万石の御家格をご承知であられない。それが国の乱れの根本でござる。もはや多言を要せず、美作ら佞人をしりぞけられるか、それともわれらの辞職をお許しになるか、二つにひとつの返答をうけたまわりたい」

時刻は四ツ（午前十時）を回ろうとしていた。早朝からの論争に、治憲も重臣らも疲れ切っていた。治憲は手を上げた。

「待て。こう疲れては冷静に答えることも出来ぬ。暫時休もう。そなたらも頭を冷やせ」

立ち上がろうとした治憲の前に、すべるように膝行してきた芋川がむずと治憲の袴をつかんだ。大力の腕につかまれて、思わず治憲の身体が傾いた。

「無礼だぞ。芋川延親」

治憲の叱咤の声を聞きつけたのだろう。次の間から佐藤文四郎が出てきた。文四郎はまっすぐ芋川の前に走り寄ると、片膝をついて袴を押さえた芋川の手首に目にもとまらぬ手刀の一撃を振りおろした。

武芸に達している文四郎の一撃に、芋川は思わず手を放し、打たれた手を胸に抱えこんだ。よほどの激痛に襲われたのだろう。治憲は立ち上がった。須田をはじめ、重臣らはおうと声を上げて一斉に立ち上がったが、さすがに治憲の後に追いすがってくる者はいなかった。

佐藤文四郎に守られて、治憲は本丸御殿の妻戸口から外に出て、二ノ丸の隠居御殿、南山館にのがれた。隠居の重定に会い、出来事のあらましを報告して言上書を見せると、重定は激怒した。

主を主とも思わぬ不逞《ふてい》のやからめと、大声を出したところをみると、無理やりに自分を隠居させたむかしの重臣らのやり口を思い出したのかも知れない。

ところどころで唸り声を発しながら、ざっと言上書に目を通しおわると、重定は治憲に言った。

「弾正どのは元の座にもどって、やつらの相手をなされておるのがよい。着換えてわしも乗り込む。なあに、やつらの悪謀など木っ端微塵に打ちくだいてやるわ」

重定のすすめにしたがって、治憲が文四郎をしたがえ、ふたたび御座の間にもどると、今度は須田と芋川だけでなく、千坂、色部をのぞくほかの侍頭たちも前に出てきて、治憲を取り囲まんばかりに詰め寄った。

「お目をさまされませ。美作、莅戸は君上のおためにならぬ佞臣でござる」

「議論は十分に尽し申した。この上は佞者を身辺からしりぞけられるか、またはわれらをしりぞけられるか、ご決断を」

ひときわ大きな声で、芋川延親が威嚇した。

「もし、御下知を頂けぬのであれば、恐れ多いことながら、われら一同ただちに江戸に登って幕府に訴状を提出いたしますぞ」

芋川がそう言ったとき、近臣数名をひきいた重定が部屋に入ってきた。

「なに？　芋川、その方幕府に訴えるとか。幕府にその方らの馬鹿さ加減を訴えるか。それもよかろうが、そうなればこの国をつぶすことになるぞ。それも承知か」

重定は治憲のそばに仁王立ちに立ったままで言った。

「言上書を見た。その方ら弾正どのが若年とみて侮ったな。ふとどきなやつらだ」

「恐れながら……」

「須田か。何か、言うことがあるか、須田。その方、弾正どのが帰国の節、山上大橋で下馬したにもかかわらず、自身は馬上で通りすぎたそうだの。大した傲《おご》りようだ。主君を侮るにもほどがあるぞ、須田。隠居が何も知るまいと思ったら間違いだ。そういうことは巨細《こさい》承知しておるぞ。千坂、色部……」

重定はうしろで平伏している千坂高敦と色部照長にも鋭い目をむけた。

「侍組の長者ともあるべきその方らまで、このような騒ぎに加担するとは、もっての外のことだ。弾正どのは頭脳明敏にして行ないまた人倫を踏んで誤らず、胸に政治の大策を秘めるもったいなき君主だ。そのことをさとらぬおのれの不明を恥じるがよい」

さあ、一同さがれと重定は大声を出した。すると須田満主がむくと顔を上げた。

「まだお館よりお答えを頂戴しておりませぬ」

「なに、まだそのように言うか、須田。まだ逆らう気か。ふむ、ならば腹を決めて言え」

重定に叱咤されて、須田の顔が急に青ざめた。千坂と色部が辞儀を残して静かに立ち上がった。

時刻は九ツ（正午）になろうとしていた。

二十三

重臣七人が退城したあと、治憲はかれらとかれらが排斥を強要した竹俣当綱らのどちらに道理があるのか、その曲直はまだ判明していないという立場から、ひきつづき竹俣以下の出勤を差し留めた。このために藩はその日、終日一切の政務が停滞するという異常な事態のうちに、日が暮れた。

そしてその日の深夜、治憲は身を清めてから本丸御殿の外に出ると、本丸の敷地内に建つ祠堂にむかった。つき添うのは近習の佐藤文四郎一人である。六月末の夜気は、夜になってもまだなまあたたかかった。

文四郎がさし出す燈火で足もとをたしかめながら暗い木立を抜けて行くと、まわりの闇から灯を目がけてしきりに虫が飛んできた。やがて祠堂に達して、治憲は堂の内に上がった。祠堂は藩祖上杉謙信をまつる御堂で、闇につつまれた堂奥の霊域には謙信の遺骸を納める霊柩が安置されている。

——南無、藩祖不識院殿大阿闍梨……。

香を焚き、孤燈に顔を照らされながら治憲は祈った。わが不徳をゆるし、なにとぞ君臣の融和をもたらし給え。

堂の外の闇には、佐藤文四郎が凝然と立って四方に目をくばっている気配がある。文四郎は当綱に推されて治憲の近習となった者なので、当然今朝は七重臣側に拘束されるはずだったが、容貌愚なるが如きをもって見のがされたことがわかっている。

治憲はさらに祈った。融和がかなわぬそのときは、きたるべきわが裁断に力をあたえ給え。

翌日、治憲は大殿重定と相談して、重定の御近習頭下條親明を借り受け、七重臣の屋敷に派遣した。平日のごとく出仕するように促したのだが、千坂らは一人残らず君命を拒否した。しかもそのあとに聞こえてきたところによると、芋川延親のごときは病気のために出仕出来ないと言いながら、屋敷の門前に馬をひき出して乗り回しているという。きわめて傲岸かつ挑戦的な態度だった。

延親ははじめ、須田満主に誘われたとき、企てに加わることを拒んだ。延親の言い分は、自分は大将の一人に過ぎないが須田は執政である。主君に言うことがあれば、まず執政みずからが言うべきである。もし諫言がいれられなければわれわれもその後につづこう、というものだった。

しかし須田から、こんな臆病なことを言う男とは、一緒に事を謀るわけにはいかぬと、あらわな軽蔑の言葉を浴びせられると、延親は激怒した。さっきは事の順序を言ったまで、自分は死など少しも恐れてはいないと言い切って、ただちに策謀に加担した。のみならず芋川延親は以後七重臣の先頭に立って、もっとも強硬に治憲に立ちむかい、言上書の容認をせまったのであった。須田の挑発にのせられた趣もあるが、しかしこの高圧的な姿勢がのちに延親の命取りとなる。

七重臣の対応を見た治憲は、三日目の六月二十九日になると迅速に動いた。すなわち大目付、御中之間年寄、御使番など監察の職を勤める者を一斉に登城させ、治憲、重定が列座する前に呼んで、千坂ら七重臣が提出した言上書を示して、書かれている事実の有無、および理非曲直について忌憚《きたん》のない判断を提出するように命じたのである。

監察職の招集にあたって、治憲はその中から慎重に竹俣当綱の推薦でその職を勤めるものをのぞいた。その上で、審議裁断にあたってはとくに、治憲の政治が筋違いの失政である、竹俣当綱は主君をたぶらかす佞臣である、人民は治憲の治政に帰服していないという、言上書の骨子というべき三点に留意するように指示した。

監察の者は別室にしりぞいて言上書を読み、審議をかわし、やがて結論を得て大殿、お館二公の前にもどった。御仕置きの道よろしからずということはない、人民服せずという事実はない、竹俣美作の佞臣も心づかざるところである。もしその事実があるとすれば、臣らは職監察にあり、本日のおたずねを待つまでもなく摘発していたでありましょう、というのが監察の答申だった。

治憲と重定は、監察の答申を得たあと、さらに慎重を期して三手組の宰配頭、三十人頭を呼んで同じ質問を行なったが、彼らの答申も監察の答申とまったく同じだった。

四年前の明和六年、家督を継いで初入部した治憲の前に難題が持ち上がったことがある。米沢藩では、藩主在国の時は毎年正月に、追廻し馬場で鉄砲を上覧するのが恒例となっていた。この鉄砲撃ちの実技を勤めるのは、三手の馬廻組、五十騎組、与板組であるが、通常五日にわたる一連の鉄砲上覧の先後について、古くから馬廻組と五十騎組の間に争いがあった。

藩ではこの争いを調停して、藩主在国の折の鉄砲上覧は両組交互に先勤《さきづとめ》するようにと定めたが、治憲が入部した翌年正月の上覧は、順番から言えば五十騎組がまず先勤し、二番手を馬廻組が勤めるとなっているにもかかわらず、馬廻組から藩主初入部のときの鉄砲上覧は、代代馬廻組が勤めてきた、このたびもそのようにはからってもらいたいと上書があったので、両者の先勤の名誉争いが再燃したのである。

馬廻組の主張にもかかわらず、五十騎組にも寛永のむかし三代定勝がはじめて糠山で鉄砲上覧を行なったとき、五十騎組に先勤を命じた事実を重いとする誇りがあり、また主君初入部の際のしきたりについても、馬廻組がその際の先勤を勤めたのは順番にあたったに過ぎず、初入部の上覧だからと言って馬廻組に譲るいわれはないと強く反発した。

調停する執政に、両者がこのような書類を提出したことから、馬廻組と五十騎組の争いは次第に深刻化し、やがて同じ家中でありながら親友もまじわりを絶ち、会合があれば両者同席を避けるといった状況にすすみ、はては両組の間に縁組のある家家は親子兄弟会合をとめ、夫が妻を離縁する家が出るという異常な事態となった。

互いに相手の組の者を見ること仇敵のごとしというこの有様を見て、家中の間にはこういう不穏な空気の中で、仮に一方に先勤の命をくだせば、城下、城中で不意の斬り合いがはじまるだろう、あるいは馬廻組、五十騎組のいずれか一手は、名誉を失ったとして藩籍を脱け、領外に立ちのくこともありうるとささやかれるに至った。両組ともに頭に血がのぼって、執政の調停を聞かなかった。

しかし時はもはや年末で、通常なら正月下旬に行なわれる鉄砲上覧までひと月の余裕もない。やむなく千坂、色部、竹俣の三執政はその状況をつつまずに新藩主治憲に報告して、親裁を仰いだ。

両組対立の深刻な状況を聞いた治憲は、熟慮した上で馬廻組宰配頭飯田惟次《ただつぐ》、五十騎組宰配頭神谷嘉有《よしなお》、与板組宰配頭中沢丈英《ともひで》の三手の宰配頭と、馬廻組の三十人頭五名、五十騎組の三十人頭四名に登城を命じ、表御座の間でじきじきに説諭した。先後の名誉を争うのは士の志として理解出来なくはないが、馬廻、五十騎はわが左右の手である。いざ戦のときは馬廻が疲れれば五十騎がかわり、五十騎疲れるときは馬廻が助けねばならぬものを、先勤を争って相手を憎むとはいかがなことか。

入部の際の鉄砲は馬廻が先勤するのが例というのであれば、五十騎がこれにしたがっても恥辱というものではあるまい、また初入部といえども五十騎組の当り番であるというなら馬廻組がこれにしたがったからといって恥じるところはないはずである。肝要なのは稽古の修練ではないか。ここを十分に考えて両組和合するようにと治憲は諭し、与板組宰配頭中沢丈英には、両組和順の仲裁役を命じた。

三手の頭たちは、この説諭を聞いて恐懼《きょうく》し、それぞれ組に帰って配下の者を説得した。そして正月の十一日には三宰配頭の連署で執政まで答申書を提出した。中身は主君の説諭にしたがい、五十騎組の先勤に決定したというものだった。ところが、その答申書の中に「享保十八年初めて上覧あそばされ候通り」五十騎組先勤にの一句があったために、馬廻組の意見がふたたび紛糾した。その一句に関しては三十人頭にも組下にも説明がなく、宰配頭飯田惟次の独断である、われわれはその事実を認めていないというのが馬廻組の総意だった。

このため藩では再度の紛糾を恐れて飯田を宰配頭からはずし、隠居閉門、知行二百五十石のうち百五十石を減ずる処置を下し、後任の馬廻組宰配頭には栗田包好《かねよし》を新任した。同時に両宰配頭に問題の享保十八年云々の文字を削った答書を提出するようにもとめたところ、今度は五十騎組側に異論が起きた。「享保十八年（七代宗憲公）初めて上覧あそばされ候通り」云々は事実である。削除すべき理由はない、というものだった。この趣旨に沿って宰配頭神谷嘉有が意見書を提出した。執政はその意見書の撤回を命じたが、神谷は頑として退かない。

業を煮やした執政側は、馬廻、五十騎両組の宰配頭、三十人頭を千坂高敦の屋敷に呼び、五十騎組の意見書は上に進達しがたいものである。ゆえにわれわれは今後鉄砲上覧は永久に廃止することを主君に言上することに決めたので、両組から提出された答書はすべて不用に帰したものと見做《みな》すという、強硬な態度に出た。

これには硬骨漢の神谷も愕然とした。もし執政たちが言うような事態になれば、連綿とつづいてきた鉄砲上覧を潰した罪は、末代にわたってすべて神谷と五十騎組が負わねばならない。神谷と三十人頭はいそいで組に帰って説得をはじめたが、承服したのは一組だけで、ほかの四組はなおも言うことを聞かず、五十騎組は騒然とした空気に包まれたままだった。

執政からそうした情勢を聞いた治憲は、一月二十五日、再度馬廻組、五十騎組の宰配頭、三十人頭を登城させ、表御座の間に呼んで説諭した。執政から鉄砲上覧を永く廃すべしという進言があったが、両組の和がととのわない以上それもやむを得ないことである。しかし、祖先より代代伝えられてきた上覧が、わが代に於て廃されるということになれば、上杉家で軍用第一の名誉を担う鉄砲の技もやがては廃《すた》れるべく、また本年より上覧廃止ということになればわれらの汚名は後代まで残るであろう。この恥辱は忍びがたいものがある。ここを熟慮して、両組ともにさらに和順に努力しわが直覧がかなうよう、配下を説得せよというのが説諭の中身だった。

十九歳の若年の藩主の言葉とは思えぬ、情理のそなわった懇切な説諭だった。一同は恐懼して城をさがったが、まず動いたのが馬廻組宰配頭栗田包好だった。栗田は組の三十人頭たちにむかって、末代までの恥辱の一言をいただいては千言万句も必要ない、われらからすすんで後勤をねがい出、国家の静謐をはかり主君の心を安んずべきである。五十騎組に譲るにあらず、国家に対する忠信からすることであるとはげまし、三十人頭また感激して配下の説得にあたったので、馬廻組はみずから後勤をねがい出ることでまとまった。一方五十騎組も、馬廻組が申し立てたとおり、初入部の節は馬廻組先勤という道理に動かしがたいものがあれば、五十騎組はこれにしたがうという従来にない譲った趣旨の答書をまとめつつあった。

この結果、両組が正式に執政あてに提出した答書にもとづいて、新年の鉄砲上覧の順序は五十騎組が先勤、馬廻組は後勤という裁定がくだった。長い激烈な争いが、ようやく熄《や》んだのである。両者はこの答書の中で、それぞれに主君治憲のご仁情、ご仁徳をたたえ、鉄砲上覧に永く道を開くことを懇願していた。治憲の説諭にいたく心を動かされ、事の本質に目ざめたことは確かだった。

おそらく馬廻組、五十騎組、それに与板組をふくむ三手の中級家臣たちは、この鉄砲上覧騒動の始末を通して、新藩主治憲と固く結ばれたのである。心が通い合ったと言ってもよい。相つぐ諸士手伝いはここからはじまったことであり、七重臣の言上書にある上司の讒を恐れて仕方なく労働に従っている、などということは、たとえば二、三そういう人間がいたとしても、真実からほど遠い皮相な見方と言うべきだった。

農民、町民の雨乞い祈願参加にしても同じことが言えるであろう。藩主自身が旱魃を憂えて、夜行して愛宕山にのぼり降雨を祈ったことに庶民は感動したのである。藩では前年の暮に郷村出役を通じて村方肝煎に諭告を行なったが、その最後のところにつぎの一項がある。

一、百姓は日にくろみ泥にまみれ、田畑を作り候て世上の宝をこしらへ、人の飢寒をしのがせ候尊き役目にて候。然れば年中暑さ寒さに身をくるしめ候儀、公儀にても痛み思し召され候。然ればせめて年中遊び日を定め、あるひは月待ち日待ちの時いづれも打ち寄つて酒などのみ、語り慰み候事を御制し遊ばされ候事には少しもこれ無く候。さやうの事は稀なるたのしみに候間くるしからず候。人と生まれ、張り弓のやうには相成らざるものに候。ただただ正直を相守り、身のほどを思ひ、奢をやめ農業に精を出し候は天道に対し候勤めに候。この段よくよく心得申すべく事。

この文言は、それより先に新設した郷村教導出役の心得にある一項を敷衍《ふえん》したものだが、これを慶長のむかしに直江兼続が作成したと言われる「地下人上下共身持之書」、通称四季農戒書と比較すれば、両者の違いは明瞭にうかび上がってくる。

同じく農民教導の諭達ではあっても、四季農戒書の方は農民をひまなく働かせて年貢を完納させるところに主眼があり、郷村出役の諭告は農の困苦を理解し、少しは酒ものみ、遊びもした上ではげめと言っている。農民に対する藩のこの態度の変化は、単純に時代の差では片づけられないものがあり、こうしたことあるいは藩主みずからの雨乞い祈願などから、庶民は為政者の側から新しい風が吹いてきたことを鋭く感じ取ったに違いない。

治憲が家督を継いだあとも、藩は幕府の工事手伝いによる巨額の出費、連年の天災による不作、藩江戸屋敷の焼亡にともなう予期せぬ出費などによって、藩財政は極度に窮迫し、このため年によっては年貢の率が七公三民に達するという、治憲にとっては大いに志に反する政治となった。一方、治憲、竹俣当綱以下が掲げる藩政改革も、あるいは財政難に芽を摘まれ、あるいは重臣層を中心とする守旧派の抵抗に阻まれて、手をつけたのは大倹令の実施、郷村教導出役の新設など、二、三の基本的な制度改革のほかは、わずかに藩士が率先してする荒地開発にとりかかったぐらいで、みるべき成果はまだ挙げていなかった。

にもかかわらず、藩主が再度の雨乞い登山を行なうと、庶民もそれにつづいたのは、かつて君臨したことのない、領民と苦楽をともにする身構えの藩主が出現したことを直観したからであったろう。領内は藩主治憲を中心にして動きつつあったのである。

そういう現状から言えば、七重臣が提出した膨大な文言をつらねた言上書の条条は、いかにも旧態依然とした認識の産物というほかはないものだった。かれらはその言上書によって、かれら自身がいかに家中においても、領内においても孤立して浮き上がっているひとにぎりの守旧派にすぎないかを、みずから証明する形になったのである。監察、三手組の答申が示した裁定はそういうものだった。

安永二年七月一日、登城を差し止められていた竹俣当綱、籠居している間に死を覚悟して遺書まで書いた莅戸《のぞき》善政以下が登城の命令をうけ、城中で治憲と会うとただちに七重臣裁断の準備にとりかかった。

竹俣らの采配で、高家衆、平分領家《ひらぶんりょうけ》、御城代、支侯御家老、郷村次頭取、御中之間詰、奥御取次、大目付、侍組仲人、御中之間年寄、御中之間通、大小姓番頭および平番十人、御使番、御右筆、御中之間番頭ならびに平番十人、三手宰配頭、三十人頭、物頭および平番中、伏嗅《ふしかぎ》頭および支配諸役頭、勘定頭、同次役、江戸御納戸頭、隅御蔵役頭、御武具蔵役頭、御小納戸頭、御台所頭、御厩頭、御鷹部屋横目、御作事屋頭、金山奉行、役所役人、猪苗代三組三十人頭、平番三十人、組外《くみほか》御扶持方、組付御扶持方、御従、本手明《ほんてあき》、新手明、奉行付同心、江戸家老同心、段母衣《だんぼろ》、百挺鉄砲、御弓組、御留守番、十八組、大筒組の人数が出仕を命ぜられ、式台からそれぞれの持ち席にかけてぎっしりと詰めた。

その上で本丸の三門、二ノ丸の四門を固く閉め、また国境の諸口にも急遽人数を派遣した。また近国にも人を送って風聞を聞きとらせ、市中には三手からそれぞれ三人をえらんで、七重臣の屋敷を監視させた。その間にも守衛、巡察の者が本丸御殿の周囲に立錐の余地がないほど詰めかけたが、竹俣らの指図が行きわたって御殿の内も外も粛然とし、私語の声も聞こえないほどだった。城の台所では、詰めている人数のために千五百人分の賄の用意にかかった。

午刻、治憲は御書院に出て監察職、三手宰配頭を呼び出し、千坂ら七重臣が、心得違いの存念にもとづいて讒をかまえ、徒党を企てて、政治を誹謗し主を侮蔑したことは不届きである、よって今夜中に仕置きを申しつける旨の裁決を示した。

その日七ツ半（午後五時）、残るただ一人の奉行竹俣当綱は、治憲の命令をうけて千坂ら七重臣に召喚状を発した。それぞれの屋敷には上役、付添い、与力からなる一手二十七人の人数がむかい、七重臣をきびしく警衛して城にもどった。重臣家の供は冠木門《かぶきもん》内に入るのを許されず、供は草履取り一人で三手平士四人に付きそわれて玄関に入るとそこには町奉行二人が待っていた。町奉行は千坂らを溜の間にみちびいて、そこで刀、紙入れを預かり、式台に仮設された屏風囲いの中に、一人ずつ拘留すると、まわりを付添いに警護させた。

その夜五ツ（午後八時）過ぎに、治憲はふたたび御書院に出た。作法にしたがって、治憲の左右、背後に執政、御城代、郷村頭取、御近習頭、支侯御家老、奥取次、三手宰配頭、三十人頭、近習、侍医が詰めかけて並ぶ中に、大小姓番所で脇差をわたし、懐中あらためを受けた千坂高敦ら重臣が一人ずつ呼びこまれ、交代に治憲の前に俯して裁決の達しを聞いた。

かれらのまわりは町奉行二人、大小姓八人、御中之間詰八人、三手の付添い四人、捕手三人が取りかこみ、すでに囚人の扱いである。燭の火が赤赤とかれらを照らす中に、治憲みずからのつぎのような直裁の声がひびいた。

其の方、このたび申し出で候趣、横目ども召出して相たずねるところ、無政の事もなく、美作奸佞の儀もこれ無く、民の帰服も相違なき由、然ればおのが非念をもって政事を誹り、讒を構え、徒党を結んで君を要す仕形、不届きの至りに付、重き罪科にも申しつくべく候へども、その段差しゅるし隠居閉門、知行の内半知召し上げる。

これが奉行千坂高敦、色部照長に対する裁決だった。長尾景明、清野祐秀、平林正在は同様の趣旨で隠居閉門、知行の内三百石を召し上げるという裁決にとどまったが、須田満主、芋川延親の二人は「……徒党を結んで君を要し、殊に徒党の本人も同然たる者にて、国家の騒動を企て不届き至極、不忠の者につき簀蔵《すくら》において切腹を申し渡す」という裁決だった。

君を要しは、主君を強要しの意味で、七重臣登城のとき、もっとも強硬に治憲に言上書容認をせまった二人の罪が重いとされたのである。

その夜のうちに須田伊豆の嫡子図書、次男、三男の押し込み処分、芋川延親の父正令、平林正在の父正村に対する囲入りの処分が執行される一方、中条至資《よしすけ》、島津知忠、竹俣寿秀《ひさひで》に侍頭就任の下命があった。それぞれ長尾景明、清野祐秀、芋川延親に代る人事である。また江戸の一門、親戚の尾張家に、このたびの重臣処分に至った事件の終始を説明させるために、大目付の栗田包好、郡奉行の長井高康が江戸に派遣された。果断迅速な処置だった。五日には千坂にかわって侍組吉江喜四郎輔長が奉行職に、大殿の近侍頭広居忠起《ただおき》が須田にかわって江戸家老に就任した。

一方藩中の各層にも、治憲自身から改めて七重臣仕置きに至る経過の説明が懇切になされ、一件は無事終了したかと思われたが、重臣処分から三月ほどたった九月二十七日に、御番医師藁科立遠の父で隠居の藁科立沢《りゅうたく》が七重臣の強訴に関連して、討首となった。姦謀教唆がその罪名だった。立沢は自身の信念にもとづいて教唆を行なったものらしく、罪名を得て死に至るまで、従容として少しも気色態度に変るところがなかったという。この藁科立沢の一件を最後にし城下を震撼せしめた七重臣処分事件が終った。

二十四

米沢城の大手前には、上級家臣の屋敷がぎっしりと配置されている。その中で城の前面を横切る主水町通りの東側に建つ竹俣当綱の屋敷はとりわけ広く、門は道むこうの屋敷をはさんでほぼ城門とむかい合う位置にあった。

屋敷の奥で、当綱はたずねてきた莅戸《のぞき》善政と密談していた。もっともたずねてきたというのは正確ではなく、夜分になって、当綱の方から使いを出し、莅戸を呼び出したのである。莅戸は二日前に、小姓頭として治憲の行列につきしたがい、帰国したばかりだった。

「どうだ」

手わたした手控えの草案を読み終った莅戸に、当綱は声をかけた。大きな目で善政の表情を読みとろうとした。走り書きの文字を読む間、善政がひとことも感想を口にしなかったのが気になっている。

草案の内容は、領内にそれぞれ百万本、合計して三百万本の漆、桑、楮《こうぞ》を植え、そこから新たに藩費を賄う金を生み出そうという、米沢藩起死回生の施策を記したものである。

竹俣当綱は視野がひろく、それでいて緻密さも兼ねそなえるすぐれた行政家だが、そのうえに、他の重臣にない企画立案の才にめぐまれていた。漆、桑、楮の三木植立て計画は、その当綱が長い間知恵をしぼって考えぬいた末に、たどりついた結論である。わが藩を甦らせるにはこの策しかないと思い、当綱は自分が生み出した遠大な計画に満足していた。だから……。

——途中でひとことぐらい……。

この案はなかなかのものだ、ぐらいのことは言ってもよさそうなものだと、当綱は善政の冷静な態度が不満だった。ぜひともほめてもらいたいというのではない。だが藩の改革で志を同じくする者なら、もう少し親身な反応を示してしかるべきではないか。もちろん、そのうえでりっぱな案だとほめてくれれば、それに越したことはない。

だが莅戸善政は慎重な男である。是非の判断を前に、しばしば長く沈黙することがある。ひとかたならず慎重なその性格のために、時にはこの男頭が鈍いのではあるまいなと疑いたくなることさえある人間なのだ。

しかしほかならぬ牛のようなその沈黙の暗がりの中で、藩でもおそらく第一級の頭脳が火花を散らして答えをもとめていることを当綱はわかっていた。そういう善政に、当綱は時に畏怖を感じることもある。善政が沈黙しているのは、示した案に何か不満か懸念かがあるのだ。

答えを待っている当綱を見て、善政はおもむろに言った。

「気宇壮大なご計画と感銘つかまつりました」

当綱は善政を見返した。善政がまだ言いたいことを隠していることを敏感に嗅ぎつけている。

「そうは思っておらん顔色だな。言いたいことがあるなら遠慮なく申したらどうだ」

「いえ、ご計画の卓抜さは比類ないものです。お奉行でなければ、何人《なんぴと》がかように遠大な再建策を思いつきましょうや。ただ……」

「ただ、何だ」

「これには費用が計上されておりません」

と善政は言った。

「三百万本の苗木を購入する費用、また上からの強権で植えさせるというわけにはいかぬでしょうから、農民に払う植立ての費用も必要です。いずれも莫大な金額と相成りましょう。これをどのように手当てなさるおつもりですか」

「借金するさ」

当綱は無造作に言った。

「ほかに手はない」

善政は顔色を曇らせた。だが当綱はかまわずに言った。

「この貧乏藩に、誰が金を貸すかと思うかも知らんが、あてはある。心配するな」

「三谷《みつや》のことですか」

と善政は言った。

江戸の豪商三谷三九郎は古くから米沢藩の御用商人をつとめ、一時は藩の蠟販売を一手にまかされていたが、宝暦年間に藩が同じ江戸商人の野挽甚兵衛を新たな金主と定め、蠟の独占販売の許可を三谷から野挽に移してしまったことから、藩と三谷の関係ははなはだ険悪なものに変った。

蠟販売の独占は、藩に金子を用立てる見返りとして与えられた特権である。すでに米沢藩に多額の金を融資していた三谷にとっては、蠟販売の独占は貸し金の担保に等しいものだった。少なからぬ利益を生むその特権を手もとに押さえているからこそ、不安の多い大名貸しにも堪えられるというものである。

その特権を、それまでの借金を返すでもなくいきなり取り上げて野挽に渡したのだから三谷三九郎が激怒したのは当然だった。三谷は、家のあらん限りは米沢藩の御用は承らないと言って、以後米沢藩から遠ざかった。

その三谷にふたたび接触を試みたのは竹俣当綱で、当綱は明和四年、米沢藩主が重定から治憲に交代した時期をとらえて三谷に会い、そのままになっている古債一万九千両の清算にあてるために、以後連年蠟五十駄を送ることを約束した。当時の蠟相場から言えば五十駄（約二千貫）の蠟は金額に換算して五百両にしかならず、一万九千両の古債の元利を返済するには四十年ほどもかかることになるのだが、三谷はこの申し入れを呑み、以後の交際の復活に応じた。

誠意というよりは露骨な懐柔策といったものだが、野挽甚兵衛を重用して郡代所の財政顧問にまでしたのは森利真であり、その森を藩政からのぞいた竹俣当綱の言うことは信じられたろう。三谷は大金の借り入れ申し込みには警戒して応じなかったが、時どきの千両、二千両といった金は貸してくれるようになった。

桜田、麻布の江戸屋敷が焼けた安永元年の江戸大火のときも、藩では自分のことはさておいて、同じく店を焼尽した三谷に百五十俵の米を見舞いとして送った。これは三谷の気持を動かしたらしく、三谷三九郎はお返しに江戸屋敷復旧費として二千両の寄附を寄せてきた。

三谷に限らず、藩では大坂の鴻池家、堺屋次郎助、越後の三輪九郎右衛門、渡辺利助、酒田の本間家などの領外金主、同じく借金先である地元の富商に対して、こまかに気を遣い、機会あるごとに藩主みずからが会って下され物を贈ったり、あるいは士分に取り立てたりして優遇してきた。

しかし中でも三谷は、財力からいってもっとも頼りになる金主で、これとの旧交を森利真以前にもどすことは、藩にとってきわめて重要事だった。そのことについては、藩主治憲と当綱の間には緊密な打ち合わせがあり、小姓頭である善政としても十分に心得ている。

前年四月、治憲は参勤のために江戸にのぼり、再建された桜田の江戸屋敷に入ったが、急を要する執務が一段落した五月七日に、三谷三九郎父子を屋敷に呼んだ。江戸屋敷再建の折にうけた助力に対して、治憲自身からねんごろに礼を述べたのだが、機会をとらえて三谷家と接触し、藩の印象をよくする対三谷工作の方針にしたがった会見でもあった。藩ではそのとき、三九郎に綿二十把、子の善吉に綿十把を贈っている。

そういったことを思い出しながら、善政は言った。

「桜田屋敷に親子を呼んで、お館ご自身が謝辞を述べられたのには、三谷も感激した様子に見うけました。しかし大金の融資を申し入れるには、時機尚早ではありませんか」

「そのあと、三谷の手代喜左衛門をこちらに呼んだのをおぼえておろう」

と当綱が言った。

「はい。さてと、あれは昨年の暮でしたな」

「十一月の中ごろだ。あのときは喜左衛門を、供つきの駕籠に乗せて領内を案内させた。新しい開墾地や青苧《あおそ》蔵など、勢いのあるところを見せてやったのだ。荒砥の宿は大貫で、あの家は江戸の者に見せてもはずかしくない富豪だ。その上で、日ごろの財政援助に藩として謝意を表するという名目で、銀二十枚を贈った。まず、国賓扱いだの」

それだけで帰したわけではない、と当綱はつけ加えた。

「帰りに、喜左衛門の懐にわしの作った文書をすべりこませてやった。わが藩の今後の殖産事業計画を述べたもので、つまり、投資先として米沢藩がいかに有利であるかを記した文書だ」

善政は口辺ににが笑いをうかべた。

「少し、やりすぎではありませんか」

「なに、そのぐらい強引にやらんと、大金を借りることなど出来るものではない」

「しかし、大金を借りれば、新たな利息払いにくるしまねばなりません」

「九郎兵衛、九郎兵衛」

また重くるしい顔にもどった善政を見て、当綱は叱咤するような声を出した。

「借金を恐れては、藩の再建などとうてい出来んぞ。いまどき借金のない藩などありはせんのだ。藩を改革する立場のわれわれとしては、新規の借金で事業を興し、これを成功させてやがては古い借金まですべて返済してやるというほどの気概を持たねばならん。肝要なのは資金の調達だ。資金がなくてはせっかくの名案も……」

当綱は、善政が返した三木植立ての草案を、ひらひらと顔の前で振った。

「絵にかいた餅だからの」

「もちろん、気概は必要ですが……」

善政はめずらしくはっきりと物を言った。

「お奉行の言われることは、少少楽観に過ぎはしませんでしょうか。わが藩の惨憺たる経済の推移をかえりみるとき、三木植立てが名案であることは疑いないとしても、それでもって古い借財まで返済出来るようになるだろうなどということは、莅戸九郎兵衛容易には信じられません」

「やらぬうちから水を差すな」

と当綱は言った。

「わしが楽観に過ぎるというなら、その言葉はそっくり裏返しておぬしに返そう。九郎兵衛、おぬしの考えは悲観に過ぎるのだ。考えてもみよ……」

当綱は熱心に説得する口調になった。

「手堅いおぬしの考えからすれば、諸士手伝いで大いにすすんだ荒地開拓、あるいは青苧、漆など従来産物の奨励などに目が向くかも知れんが、その程度のことは藩としてなすべき当然の策、どこの藩でもやるいわば平時の策だ。どういじったところで、藩をくるしめている借金を返済し、なお多少の貯えをもたらすということにはならぬ」

「……」

「わが藩をきわめつきの貧乏藩から救い出すためには、平時の策を行なう一方で、無から有を生じるほどの非常の策を用いる必要がある。いろいろと策は考えた。だが、まずこれだ」

当綱はまた、草案の文書をひらひらと振った。

「ここに記した案は、まだ出来上がったものではない。推敲《すいこう》の余地が多多ある。実現のはこびになれば、たとえば仮称だが、樹芸役場といった植立てに専念する役所が必要だろう。そのときは、頭取にしかるべき人材を選んであてることが肝要事となる」

お館には、そのあたりまで中身が固まってからきちんとした計画書をお見せするつもりだと当綱は言い、それから髭が濃くのびている顔に、奇妙な、とっておきの秘事を打ち明けるような微笑をうかべた。

「漆百万本、桑百万本、楮百万本。この三木が利益を生むようになったあかつきには、わが藩にどのような利益をもたらすことになるか、見当がつくか」

「いえ、そこまでは……」

「わしは概算してみた」

当綱の表情と声に釣られて、善政も小声になった。

「いかほどに相成りますか」

「年にざっと三万二千両の益金が出る。これは知行に見積もって十六万石ほど、つまり成功すればわが藩の実高はもとの三十万石にもどる勘定だ」

二人は顔を見合わせた。そして同時に笑い出した。当綱はさも愉快げに、そして善政もめずらしく声高に。だが善政の方が早く笑い終った。

「いや、夢のようなお話でござる」

「何だ、それは」

笑いを消して、当綱がじろりと善政を見た。

「皮肉ではあるまいな」

「いえ、余人は知らずお奉行が采配を振れば事は成就いたしましょう。で、三谷からの借金ですが……」

と善政は言った。

「こちらはいかほどの見積もりでしょうか」

「ざっと一万一千両」

「一万……」

と言って、善政は絶句した。

「三谷がはたして応じますか」

「あたってみなければわからんが、掛け合いの使者を立てるときは、きちんとした植立て計画書を持たせるつもりだ。収益の見積もりも添えてだ。腹を割って頼みこめば、おぬしにはまたしても得意の楽観と言われそうだが、わしはなんとかなるのではないかと思っておる」

「いや、それにしても多額の借財……」

「植立ての費用だけなら、苗木買入れをいれても五千両前後にしかならんのだ」

当綱はあっさりと言った。

「ほかに目論見がある。藩ではいま膨大な借金の返済にくるしんでいるが、とくに苦しいのが深川の密巌和尚からの一万九千八百両という借金だ。普通金利が八分のところ、和尚のところは倍の一割六分。くるしまぎれに借り入れたものの、この高利の借金は考えはじめると夜も眠れぬほどのものだ」

当綱らしくない言い方に滑稽な感じをうけて、善政は目を上げたが、当綱は至極深刻な顔をしている。その顔には一藩の経済を預かる者の苦悩がにじみ出ていて、善政ははっと顔を伏せた。

「ゆえに残りの六千両は、和尚の借金の返済にあてる。ただし、この金はただでは返さぬ。一度に六千両を返済するかわりに、一万両を二十年賦に、残金の三千八百両は捨金させる。そういう交渉をやってみるつもりだ」

「さような掛け合いに、密巌和尚が乗ってくるでしょうか」

「わしはのぞみありと読んでおる」

当綱得意の楽観論が出た。

「ま、掛け合いにもよることだが、わが藩に多額の金子を貸している者たちは、かの貸し金、はたしてもどるかどうかと、つねに内心の不安を隠せずにわが藩の動きを見守っているはずだ。そこに六千両もの金がいちどきにもどるとすれば、あとの残金の交渉については多少対応も甘くなろう」

「………」

「密巌和尚との掛け合いがうまくいったら、ほかの金主たちともひきつづき交渉して、出来れば永年賦、無利息という形で話をつけたいものだ。いつまでも古い借金にからみつかれておっては、新しく資金を工面することも、新規の事業を興すことも ままならんからの」

「………」

「どうした。異論でもあるか」

当綱の声に、善政は顔を上げた。いつの間にかひとりの考えごとに落ちこんでいたようである。

「いえ、お奉行のお話をうかがっている間に、それがしにもおっしゃるごとき借財の整理は可能かと思われて来ました。成功すればわが藩の前途はまことに明るいものとなりましょう」

「去年からずっと考えてきたのだ」

善政の賛同を得たのがうれしかったか、当綱は満足そうに言ったが、すぐに語調を改めた。

「何を考えていたのだ」

「は?」

「何か考えておったろう。途中で気を逸らすのは無礼だぞ」

善政はご無礼つかまつりました、と詫びて深深と頭を下げた。

「お奉行が、いともやすやすと五千両、一万両という借金の話をされますので、それがしならその金、何に使おうかとふと考えが横に逸れましてござる」

「おぬしなら何に使うな。いや、わかっておる。木を植えたりはせんはずだ。しからば、その借金何に使うか」

「一回限りでけっこうですが、家中藩士にせめて銀方なりと返してやりたいと思います」

「昨年も、ちらとそのようなことを申したな」

「はあ、とうていそのような資金の工面はつかぬということで、すぐに沙汰止みになりました」

「執着する理由は何だ」

「長期にわたって借り上げに馴れ、貧に馴れた家中の士気を高めるためでござる」

「士気を高める、か」

「お奉行をふくめて侍組の方方はまだ暮らしにゆとりがござるゆえ、あるいはお気づきあられぬかと思いますが、三手以下の家中の士気の退廃はもはや放置出来ないところにきております」

「聞いてはおる」

「城内のうわさを上回るものです。その者らに、たとえ銀方だけなりとも、また一回限りのこととしても藩から借りた分を返し、それぞれの家本来の家禄はこうぞということを示され、また経済が立ち直ったときはこのように返却するぞという藩の意志を示されることが、ただいま喫緊の必要事であるとそれがしは考えております」

「ふむ」

当綱は腕を組んで善政をじっと見た。善政の提言の深さが理解出来た。借りっぱなしでなく、たとえ一度きりでも借り分の若干を返すのは、家中に対する藩の挨拶である。それは貧窮に押しつぶされたままになっている家中の誇りを回復することになろう、と善政は言っているのだ。

こういう提言は、家中藩士の心の中まで踏みこまないと出てこないものだ。わしの策とは何という違いだ、と当綱は思った。

——わしの策は天空を行き……。

然りしこうして、善政の策は地を這う、か。胸に一片の詩心を隠している当綱はそう思ったが、不快ではなかった。この決して飛ぶことのない男が控えているからこそ、わしも思い切った手を打てるのだと思った。

親愛をこめて、当綱は九郎兵衛と言った。

「そなたの提案は、時の妙手というものだ。よし、お館が下長井の巡覧からおもどりになったら、さっそくに相談してみようではないか」

明日五月六日から、藩主治憲は米沢の北、下長井郷に下って各地を巡覧する。名目は鷹野だが、中身は各地の開墾地の巡視である。これに六日ほどを要し、七日目には帰城する予定だが、落ちついたらふたたび巡視に出る。ことに諸士手伝いによる開墾地ほか、たとえば土手の修理、橋を架けかえた場所なども丁寧に見ることになっている。そして今回の巡視を機に諸士手伝いを廃止する。

当綱にそのことを思いつかせたのは、昨年七月、九月と、治憲が上府中に行なわれた侍組の手伝いだった。これで諸士手伝いの趣旨は家中に行きわたったと当綱は思ったのである。

焼亡した江戸屋敷再建のために、先頭に立って木を伐り出す諸士手伝いを行なったときは、当綱の頭の中にあったのは経済ということである。人を雇えば莫大な費用がかかるところを、家中手伝いで間に合わせたのだ。だが以後の道路の補修から荒地の開墾にまでひろがった諸士手伝いにも経済を期待したわけではない。

もちろん荒地開拓数十町歩という経済上の成果を否定するものではないが、当綱は家中藩士のそうした動きに、藩主治憲の改革を支持する姿勢を読み取り、そのひろがりをひそかに期待してきたのである。そして七重臣の強訴というはげしい反発はあったが、そこを乗り越えたあとには、上士の侍組も開墾手伝いに加わるという、治憲以前には考えられない現象が出てきたのである。

喜ぶべき現象だった。かえりみれば会津から米沢三十万石に移されて十年余を経た慶長十八年に、二代景勝が桜の馬場を造営したときは、直江兼続以下諸重臣がみずから畚《もっこ》をかついで砂石をはこび労役奉仕をしたのである。家臣一体となって国の貧しさを分け合ったのだ。

だが当時とは武家の意識が違う、と当綱は思った。侍組の開墾手伝いは長く放置すべきことではなかった。放置すれば、やがて彼らの上士としての誇りが堪え得なくなり、ふたたび改革に対する反発心を呼びおこし兼ねない。むかしの話にしても、次の定勝の代になると藩士の労役従事は賤役であるという、主として重臣層からの反発が起こって、以後労役は停止されている。家中の改革支持の姿勢が行きわたったところで、諸士手伝いは停止すべきであると当綱は在府の治憲に申し送り、諒解を得ていた。

善政の考えは同じ趣旨に添い、しかもさらに一歩踏みこんだものと言えた。

「ご裁可を得たら、おぬしにまかせるゆえ、さっそく金主をさがして実行に移したらどうか。ただし、三谷はいかんぞ」

当綱は大きな目で、威嚇するように善政を見た。

「ほかをあたってくれ。越後の三輪家などはどうだ」

善政は黙って頭をさげた。そしてふと思いついたように言った。

「しかしお館が先年、果断の処置をお示しになられたことで、かようの策もまことに自由に立てられるようになりましたな」

当綱も善政の感想にまったく同感だった。

装画／歌麿「画本虫撰」より（国立国会図書館所蔵）

漆《うるし》の実《み》のみのる国《くに》（上）

平成九年五月二十日　第一刷
平成九年六月五日　第三刷

著者　藤沢周平

発行者　和田宏

発行所　株式会社　文藝春秋
東京都千代田区紀尾井町三―二三
電話（〇三）三二六五―一二一一

本文印刷　理想社

付物印刷　凸版印刷

製本所　中島製本

製函所　加藤製函

定価は函に表示してあります。万一
落丁乱丁の場合はお取替え致します

ISBN4-16-362760-X

藤沢周平の代表傑作長篇小説

蟬しぐれ

清流と木立にかこまれた城下組屋敷。淡い恋、友情、そして忍苦。苛酷な運命のなかで成長してゆく少年藩士をゆたかな光の中に描いて愛惜さそう長篇小説。

海鳴り（上下）

身を粉にしたすえにむかえた四十の半ば、懸命にささえた家に隙間風がしのびこむ。初老の主人公と人妻との類のない美しさをたたえた大人の純愛物語。

三屋《みつや》清左衛門《せいざえもん》残日録《ざんじつろく》

家督をゆずり隠居の身となった元用人清左衛門。老いゆく日日、悔いと寂寥におそわれつつ、なお命をいとおしみ力を尽す男を描いて感動をよぶ異色長篇。